Your French Speaking Test Guide for GCSE

Val Levick
Glenise Radford
Alasdair McKeane

Contents

Introduction

This is a book which aims to help you with your GCSE French Speaking Test. The test will be conducted by your own teacher and will be tape-recorded. You will have to complete a number of role-plays and a conversation test. Some candidates are also required to present a pre-prepared topic and then discuss it. Check the exact details of your syllabus with your teacher. Knowing what to expect is half the battle.

This book is in four sections.

In the **Role-Play** section you will find the French phrases you may need to use or understand in each situation. They are given in the *tu* and *vous* form in most cases.

In the **Conversation** section you will find straightforward questions and possible answers for most topics, again with *tu* and *vous* forms. Check with your teacher which (s)he is most likely to use in the Speaking Test. There are also more open-ended questions together with suitable answers, and questions where you are asked to give and justify your opinion.

The **Presentation** section has some suggestions for topics which you may wish to prepare. The usual format for the exams which include this test is that you talk for about a minute introducing the theme, and then discuss it with your teacher for another couple of minutes. It is also possible to use some of the topics from the Conversation section for this exercise.

The **Improving your language** section is aimed at making what you say more interesting. Phrases which extend the variety and range of structures and vocabulary in your French are included. This section will be of most use to Higher Level candidates.

This book is intended to help you do well. Merely owning it will not help you! Reading, learning and practising its contents will.

Bonne chance et bon courage!

SECTION 1: ROLE PLAY

All-purpose phrases

These phrases or part-phrases are essential. They could appear in many of the role play situations. Remember to learn how to ask questions as well as answer them.

Polite noises

Good morning..............Bonjour, Monsieur
Good afternoon............Bonjour, Madame
Good evening...............Bonsoir, Mademoiselle
Hello............................Salut
How are you?...............Comment ça va?
Please...........................S'il vous/te plaît
Thank you....................Merci
Not at all......................De rien. Il n'y a pas de quoi
You are very kind........Vous êtes très aimable
Excuse me....................Pardon. Excusez-moi
I would like..................Je voudrais...
May I...? ....Puis-je...?
Please come in.............Entrez, s'il vous plaît
Sit down.......................Asseyez-vous
I'm sorry, but...............Je regrette, mais...
Don't mention it! ....Je vous en prie
Don't mention it! ....Je t'en prie
Don't mention it! ....Il n'y a pas de quoi
Good-bye.....................Au revoir
See you soon................A bientôt
See you tomorrow........A demain

Best Wishes

Good Luck!..................Bonne chance!
Happy Birthday! ....Bon anniversaire!
Happy Christmas! ....Joyeux Noël!
Happy Easter! ....Joyeuses Pâques!
Happy New Year! ....Bonne Année!
Have a nice day! ....Bonne journée!

Questions

Why? ....Pourquoi?
When?..........................Quand?
Where? ....Où?
What? ....Qu'est-ce qui?
What?..........................Qu'est-ce que?
Who?...........................Qui?
How much/How many?Combien (de)?
How?...........................Comment?
What is .... like?..........Comment est....?
Is there/Are there...?....Y a-t-il...?

Agreeing and sympathising

Yes, of course.............Oui, bien sûr/ Naturellement
Agreed.........................D'accord
What a shame!.............Quel dommage!
I don't mind................Cela m'est égal
I suppose so.................Probablement
I suppose so.................Je suppose que oui
With pleasure..............Volontiers/avec plaisir
Yes, I'd like to............Oui, je veux bien
Good idea!...................Bonne idée!
Too bad........................Tant pis!
Really?.........................Vraiment?
That's nice! ....C'est gentil!
OK..............................OK
Agreed.........................D'accord
Congratulations!..........Félicitations!

Apologising

I'm sorry ....Excusez-moi
I'm sorry ....Je suis désolé(e)
I'm sorry, but it can't be helped
...............Je m'excuse, mais je n'y peux rien
I didn't do it on purpose
...............Je ne l'ai pas fait exprès
No harm done.............Il n'y a pas de mal
It doesn't matter..........Ça ne fait rien
Don't worry.................Ne vous en faites pas
Let's forget it...............N'en parlons plus

Opinions

I like .... J'aime...
I don't like .... Je n'aime pas...
I love .... J'adore...
I hate .... Je déteste...
I hate .... J'ai horreur de...
I can't stand .... Je ne supporte pas...
I prefer .... Je préfère...
I prefer .... J'aime mieux...
What is your opinion?.. Quel est votre/ton avis?
I share your opinion..... Je suis de votre/ton avis
I quite agree................ Je suis tout à fait d'accord
You are right .... Vous avez/Tu as raison
I think that... .... Moi, je pense que...
I think so .... Je crois que oui
I must admit that .... Je dois admettre que ...
I don't know .... Je ne sais pas
It's possible .... C'est possible
That depends .... Cela dépend
They say that .... On dit que...
perhaps .... peut-être
I don't think so .... Je ne crois pas
You are wrong............ Vous avez/Tu as tort
I don't agree .... Je ne suis pas d'accord
I blame... .... A mon avis, c'est la faute de ...

Justifications

I like it because... .... Je l'aime parce que...
It's amusing .... C'est amusant
It's delicious .... C'est délicieux
It's easy .... C'est facile
It's fascinating .... C'est passionnant
It's interesting.............. C'est intéressant
It interests me .... Ça m'intéresse
It fascinates me .... Ça me passionne

I don't like it because...
.... Je ne l'aime pas parce que...
It's annoying................ C'est embêtant/énervant
It's awful .... C'est pénible
It's a waste of time ...... C'est une perte de temps
It's boring .... C'est ennuyeux
It's complicated........... C'est compliqué
It's difficult.................. C'est difficile
It's disgusting.............. C'est dégoûtant
It's disgusting.............. C'est dégueulasse

It's too complicated...... C'est trop compliqué
It's too difficult .... C'est trop difficile
It's too dear .... C'est trop cher
It's too long/short .... C'est trop long/court
It's not practical .... Ce n'est pas pratique
It's not possible .... Ce n'est pas possible
It's too far away .... C'est trop loin

It annoys me................. Ça m'embête
It bores me .... Ça m'ennuie
It gets on my nerves ..... Ça m'énerve
It irritates me................ Ça m'agace
It makes me tired.......... Ça me fatigue
I have no money........... Je n'ai pas d'argent
I have no time .... Je n'ai pas le temps
It's unbelievable........... C'est incroyable

Miscellaneous

Arrival .... l'arrivée (f)
Departure .... le départ
Open .... ouvert
Closed........................... fermé

Finished, over .... fini
Reserved .... réservé
Way in .... entrée
Way out .... sortie

In spring........................ au printemps
In summer .... en été
In autumn...................... en automne
In winter .... en hiver

Here is/are.................... Voici
There is/are .... Voilà
There is/are .... Il y a

If you have difficulties......

I'm sorry, I don't understand..............................Je regrette, je ne comprends pas
Would you repeat that, please?...........................Voulez-vous répéter cela, s'il vous plaît?
What does that mean? ....Qu'est-ce que cela veut dire?
Do you speak English/French?...........................Parlez-vous anglais/français?
What is that called in French? ....Cela s'appelle comment, en français?
How do you say that in French, please?.............Comment dit-on cela en français, s'il vous plaît?
Speak more slowly, please ....Parlez plus lentement, s'il vous plaît
I've forgotten the word for...............................J'ai oublié le mot pour...
How do you pronounce that?..............................Cela se prononce comment?
How do you spell that, please? ....Cela s'écrit comment, s'il vous plaît?
Would you write that for me, please?................Voulez-vous m'écrire cela, s'il vous plaît?
Can you explain that, please? ....Pouvez-vous m'expliquer cela, s'il vous plaît?
Can you help me, please?...................................Pouvez-vous m'aider, s'il vous plaît?
Will you come with me, please?.........................Voulez-vous venir avec moi, s'il vous plaît?

Helping someone else

What is the matter? ....Qu'est-ce qu'il y a? Qu'est-ce qui ne va pas?
Have you got/Is there a problem?.......................Avez-vous/Y a-t-il un problème?
Would you like me to help you?.........................Voulez-vous que je vous aide?
May I help you?...Puis-je vous aider?

Describing things and people

It's a sort of...C'est une sorte de...
It's a bit like..C'est un peu comme....
It's bigger/smaller than..... ....C'est plus grand/petit que...
It's as big/small as...C'est aussi grand/petit que....
What does he/she look like? ....Comment est-il/elle? De quoi a-t-il/elle l'air?
He/She seems older..Il paraît plus âgé
He seems nice ....Il a l'air bien gentil
He/She looks nice ....Il/Elle est bien habillé(e)
She seems unhappy ....Elle semble malheureuse
He has black hair and brown eyes ....Il a les cheveux noirs et les yeux marron
She is wearing school uniform ....Elle porte l'uniforme scolaire

Instructions you may meet in the Speaking Test

These instructions are given in both *vous* and *tu* forms

Answer the question...Répondez/Réponds à la question
Ask for the following information......................Demandez/Demande les informations suivantes
Ask questions...Posez/Pose des questions
Describe the picture ....Décrivez/Décris l'image
End the conversation politely ....Finissez/Finis poliment la conversation
Explain ....Expliquez/Explique

Greet the shopkeeper .... Saluez/Salue le commerçant
Greet the examiner .... Saluez/Salue l'examinateur
Look at the pictures/the photos .... Regardez/Regarde les images/les photos
Repeat .... Répétez/Répète...
Speak.......... Parlez/Parle
Say what you did .... Racontez/Raconte ce que que vous avez/tu as fait
Say what you saw .... Racontez/Raconte ce que vous avez/tu as vu
Thank the shopkeeper .... Remerciez/Remercie le commerçant
Use these symbols to make up a dialogue .... Utilisez/Utilise ces symboles pour faire un dialogue
You are going to answer some questions.......... Vous allez/Tu vas répondre à des questions

Personal identification

Hello

May I introduce...? .... Puis-je vous présenter...?
Pleased to meet you .... Enchanté(e)
You know Chris, don't you? .... Tu connais Chris, n'est-ce pas?
What is your name? .... Comment vous appelez-vous? Comment t'appelles-tu?
What is your first name? .... Quel est votre/ton prénom?
My name is.... .... Je m'appelle......
What nationality are you? .... De quelle nationalité êtes-vous/es-tu?
I am English/British .... Je suis anglais(e)/britannique
I am Irish/Scottish/Welsh .... Je suis irlandais(e)/écossais(e)/gallois(e)
Where do you come from? .... D'où venez-vous? D'où êtes-vous?
I come from London/Edinburgh .... Je viens de Londres/Edimbourg
How old are you? .... Quel âge avez-vous/as-tu?
I am 16 .... J'ai seize ans
When is your birthday? .... C'est quand, votre/ton anniversaire?
My birthday is November 30th .... Mon anniversaire est le trente novembre
What is your date of birth? .... Quelle est votre/ta date de naissance?
I was born on 21 June 1984 .... Je suis né(e) le vingt et un juin, dix-neuf cent quatre-vingt-quatre
In which year were you born? .... En quelle année êtes-vous/es-tu né(e)?
I was born in 1983 .... Je suis né(e) en dix-neuf cent quatre-vingt-trois
Where do you live? .... Où habitez-vous/habites-tu?
I live in Malvern .... J'habite Malvern
What is your address? .... Quelle est votre/ton adresse?
Write your address in capital letters .... Ecrivez votre adresse en majuscules
I live at 302, Church Street .... J'habite 302, Church Street
What is your phone number? .... Quel est votre/ton numéro de téléphone?
My phone number is 57-74-33 .... Mon numéro de téléphone est le cinquante-sept, soixante-quatorze, trente-trois
Have you a fax number? .... Avez-vous/as-tu un numéro de fax?
No, sorry, I haven't a fax number .... Non, je regrette, je n'ai pas de numéro de fax

How long have you lived in Malvern?................Depuis combien de temps habitez-vous Malvern?

How long have you lived in Malvern?................Depuis quand habites-tu Malvern?

I have lived there for ten years ....J'y habite depuis dix ans

Have you any brothers or sisters?........................Avez-vous/as-tu des frères ou des sœurs?

I have a brother. His name is Paul ....J'ai un frère. Il s'appelle Paul

He is older than I am. He is 18 ....Il est plus âgé que moi. Il a dix-huit ans

I have a sister ....J'ai une sœur

She is 13. She is younger than I am....................Elle a treize ans. Elle est plus jeune que moi

What does your father do? ....Que fait votre/ton père dans la vie?

What does your mother do?.................................Que fait votre/ta mère dans la vie?

He is a builder. She is a nurse ....Il est maçon. Elle est infirmière

My brother is married ....Mon frère est marié

My sister is single/engaged ....Ma sœur est célibataire/fiancée

My parents are separated/divorced ....Mes parents sont séparés/divorcés

My mother is a widow ....Ma mère est veuve

My father is dead ....Mon père est décédé

Being a guest

Arriving

How are you?..Comment ça va?/Comment allez-vous/vas-tu?

I'm very well, thank you ....Ça va très bien, merci

How are your parents? ....Vos/tes parents, comment vont-ils?

They are very well, thank you ....Ils vont très bien, merci

And how is your brother?...................................Et votre/ton frère?

Unfortunately he is ill. He has flu.......................Malheureusement il est malade. Il a la grippe

Have you had a good journey? ....Avez-vous/As-tu fait un bon voyage?

The journey was very long ....Le voyage était très long

The crossing was bad/good ....La traversée était mauvaise/bonne

I was sea-sick...J'ai eu le mal de mer

I am tired ....Je suis fatigué(e)

Would you like something to eat/drink? ....Voulez-vous/Veux-tu manger/boire quelque chose?

Yes, I'm hungry/I'm thirsty ....Oui, j'ai faim/j'ai soif

Where is the bathroom? ....Où est la salle de bains?

The bathroom is on the first floor.......................La salle de bains est au premier étage

May I have a shower/bath?.................................Est-ce que je peux prendre une douche/un bain?

Here is your room/the bathroom.........................Voici votre/ta chambre/la salle de bains

You can put your things in this wardrobe ....Vous pouvez/Tu peux ranger vos/tes affaires dans l'armoire

Do you need anything?.......................................Avez-vous/As-tu besoin de quelque chose?

I need some soap, please ....J'ai besoin de savon, s'il vous plaît/s'il te plaît

I have forgotten my toothbrush ....J'ai oublié ma brosse à dents

Can you lend me a flannel? ....Pouvez-vous me prêter un gant de toilette?

Did you sleep well?	Vous avez/Tu as bien dormi?
I slept very well, thank you	J'ai très bien dormi, merci
What do you usually have for breakfast?	Qu'est-ce que vous prenez/tu prends au petit déjeuner?
I have toast and tea	Je mange du pain grillé et je bois du thé
Is there anything you don't like to eat?	Y a-t-il quelque chose que vous n'aimez pas/ que tu n'aimes pas?
I don't like spinach	Je n'aime pas les épinards
Is this your first visit to France?	C'est votre/ta première visite en France?
Have you ever been abroad before?	Etes-vous/Es-tu déjà allé à l'étranger?
I went on a school visit/exchange last year	J'ai fait une visite scolaire/un échange l'année dernière
I went to Spain with my parents last Easter	Je suis allé(e) en Espagne avec mes parents à Pâques

In the home

Make yourself at home	Faites comme chez vous/Fais comme chez toi
Would you like to listen to cassettes/the radio?	Voulez-vous/Veux-tu écouter des cassettes/la radio?
Would you like to watch TV/a video?	Voulez-vous/Veux-tu regarder la télévision/une vidéo?
Would you like to borrow my Walkman®?	Voulez-vous/veux-tu emprunter mon baladeur?
Would you like to go out this evening?	Voulez-vous/Veux-tu sortir ce soir?
Yes, please	Je veux bien
May I help you?	Puis-je vous/t'aider?
May I give you a hand?	Puis-je vous/te donner un coup de main?
Shall we set/clear the table?	Si on mettait/débarrassait la table?
Will you close the window, please?	Voulez-vous/Veux-tu fermer la fenêtre, s'il vous/ te plaît?
What is there to be done?	Qu'est-ce qu'il y a à faire?
I have to tidy up my room	Je dois ranger/mettre de l'ordre dans/ma chambre
I am going to do my homework	Je vais faire mes devoirs
Would you like to borrow a book?	Voulez-vous/veux-tu emprunter un livre?
What is it about?	Ça parle de quoi?
Who is it by?	C'est de qui?
I like reading books and magazines	J'aime lire des livres et des revues
I don't like reading newspapers	Je n'aime pas lire les journaux
May I watchTV/listen to the radio, please?	Est-ce que je peux regarder la télé/écouter la radio, s'il vous plaît/s'il te plaît?
May I phone my parents, please?	Est-ce que je peux téléphoner à mes parents, s'il vous plaît/s'il te plaît?

Goodbye

See you soon/sometime/next year	A bientôt/A un de ces jours/A l'année prochaine
Have a good journey home	Bon retour
Thank you for everything	Merci pour tout
I've had a wonderful holiday	J'ai passé des vacances merveilleuses
You have been so kind	Vous avez/Tu as été si gentil
I'll come with you to the station	Je vous/t'accompagnerai à la gare

You'll phone us when you get home, won't you? ....Vous nous téléphonerez quand vous arriverez chez vous, n'est-ce pas?

You'll phone us when you get home, won't you? ....Tu nous téléphoneras quand tu arriveras chez toi, n'est-ce pas?

Have you forgotten anything? ....Vous n'avez rien oublié?/Tu n'as rien oublié?

Have you got everything? ....Vous avez/Tu as tout ce qu'il faut?

Say thank you to your parents for me, please .....Remerciez vos parents de ma part, s'il vous plaît

Say thank you to your parents for me, please .....Remercie tes parents de ma part, s'il te plaît

Will you be able to come back next year? ....Vous pourrez/Tu pourras revenir l'année prochaine?

I'd love to come and see you again ....J'aimerais bien revenir vous/te voir

Write soon! ....Écrivez bientôt/Écris bientôt

School

What time do you get up? ....A quelle heure vous levez-vous/te lèves-tu?

I get up at 7.00 ....Je me lève à sept heures

What time do you leave home in the morning?...A quelle heure quittez-vous/quittes-tu la maison le matin?

I leave home at 8.15 ....Je quitte la maison à huit heures et quart

How do you go to school?...................................Comment allez-vous/vas-tu à l'école?

I go by bus/car/train/bike ....J'y vais en autobus/en voiture/en train/à vélo

My brother walks to school ....Mon frère va à l'école à pied

We live 2 km from school ....Nous habitons à 2 km de l'école

It takes me 20 minutes to walk there ....Il me faut vingt minutes pour y aller à pied

What time do you arrive at school? ....A quelle heure arrivez-vous/arrives-tu au collège?

I arrive at school at 8.35 ....J'arrive au collège à neuf heures moins vingt-cinq

When do lessons start? ....Les cours commencent à quelle heure?

Lessons start at 9.00 ....Les cours commencent à neuf heures

When is your lunch time? ....A quelle heure est le déjeuner?

Lunch time is at 12.30 ....Le déjeuner est à midi et demi

When does school end? ....L'école finit à quelle heure?

School ends at 3.40 ....L'école finit à quatre heures moins vingt

What time do you get home? ....A quelle heure arrivez-vous/arrives-tu à la maison?

I get home at 4.10 ....J'arrive chez moi à quatre heures dix

What time do you go to bed? ....A quelle heure vous couchez-vous/te couches-tu?

I go to bed at 10.30 ....Je me couche à dix heures et demie

How many lessons do you have each day? ....Vous avez/Tu as combien de cours par jour?

We have six lessons a day ....Nous avons six cours par jour

How long do your lessons last? ....Vos/Tes cours durent combien de temps?

Our lessons last 50 minutes ....Nos cours durent cinquante minutes

What is your favourite subject? ....Quelle est votre/ta matière préférée?

My favourite lesson is French ....Ma matière préférée est le français

Which subject do you dislike? ....Quelle matière n'aimez-vous pas/n'aimes-tu pas?

I can't stand History ....Je déteste l'histoire

I find German very difficult............................... J'ai du mal à faire l'allemand
My sister prefers PE .... Ma sœur préfère l'éducation physique
What do you do during break?........................... Que faites-vous/fais-tu pendant la récréation?
I talk to my friends during break........................ Je discute avec mes ami(e)s pendant la récréation
Do you eat in the canteen at midday?................. Est-ce que vous mangez/tu manges à la cantine à midi?
What do you eat at lunch time?.......................... Qu'est-ce que vous mangez/tu manges à midi?
I have sandwiches at midday.............................. Je mange des sandwiches à midi
How many weeks summer holiday do you have?..... Combien de semaines de vacances avez-vous en été/as-tu en été?
We have six weeks' holiday in summer .... Nous avons six semaines de vacances en été
When do you go back to school? .... Quand est-ce que vous rentrez/tu rentres à l'école?
We go back on September 6th .... Pour nous la rentrée est le 6 septembre
Do you have a lot of homework? .... Avez-vous/As-tu beaucoup de devoirs?
Yes, I think we get too much homework............ Oui, je crois qu'on nous donne trop de devoirs
How many hours homework do you do each evening?............. Combien d'heures de devoirs faites-vous/fais-tu chaque soir?
I do two hours homework each evening............. J'ai deux heures de devoirs tous les soirs
What do you do in the evening?......................... Que faites-vous/fais-tu le soir?
I do my homework and listen to music in the evening .... Le soir je fais mes devoirs et j'écoute de la musique
Do you help your father/ mother prepare the meal?.................................... Est-ce que vous aidez/tu aides votre/ton père/ votre/ta mère à préparer le repas du soir?
No, but I have to do the washing up.................. Non, mais je dois faire la vaisselle
Do you watch TV in the evening?...................... Est-ce que vous regardez/tu regardes la télévision le soir?
Yes, sometimes.. Oui, de temps en temps

Jobs and pocket money

Do you have a Saturday job? .... Est-ce que vous avez/tu as du travail payé le samedi?
Yes, I work on Saturday .... Oui, je travaille le samedi
No, I do not have a Saturday job........................ Non, je ne travaille pas le samedi
Where do you work?.. Où travaillez-vous/travailles-tu?
I work in a shop.. Je travaille dans un magasin
What is your job? .... Que faites-vous/fais-tu?
I am a sales assistant.. Je suis vendeur/vendeuse
When do you start work in the morning? .... A quelle heure est-ce que vous commencez/ tu commences le matin?
I start at 8.00 am.. Je commence à huit heures du matin
How much do you earn an hour? .... Vous gagnez/tu gagnes combien de l'heure?
I earn ... per hour..... .... Je gagne ... de l'heure
What time do you finish work?.......................... A quelle heure finissez-vous/finis-tu le travail?
I finish work at 4.30 .... Je finis le travail à quatre heures et demie
I go baby sitting for neighbours .... Je fais du baby-sitting pour les voisins

My parents give me £.... pocket money each week .... Mes parents me donnent .... livres comme argent de poche par semaine

What do you do with your money?..................... Qu'est-ce que tu fais avec ton argent?

I am saving up for a computer............................ Je fais des économies pour acheter un ordinateur

I like buying clothes/books/computer games ...... J'aime acheter des vêtements/des livres/des jeux électroniques

Shopping

You will say:

Is there a post-office near here?.......................... Y a-t-il un bureau de poste près d'ici, s'il vous plaît?

Which is the way to the bank, please? .... Pour aller à la banque, s'il vous plaît?

Do you sell...?.. Vendez-vous...?

May we look round? .... On peut regarder?

I'm just looking .... Je regarde seulement

Please could you tell me where I can buy ...? ..... Pouvez-vous me dire où je pourrai acheter ...?

I would prefer .... Je préférerais...

How much is it?.. Ça coûte combien?

How much do I owe you? .... Je vous dois combien?

Do I have to pay at the till? .... Faut-il passer à la caisse?

May I pay by credit card/cheque?...................... Est-ce que je peux payer par carte de crédit/chèque?

Do you take cheques?.. Est-ce que vous acceptez les chèques?

Have you change for 100 francs? .... Avez-vous la monnaie de cent francs?

I have only a 100 franc note .... Je n'ai qu'un billet de 100 francs

You will hear:

Who is next? .... C'est à qui maintenant?

May I help you?... Qu'est-ce que vous voulez?

Anything else? .... Et avec ça?

We haven't got any .... Nous n'en avons pas

Is that all? .... C'est tout?

Have you any change? .... Avez-vous de la monnaie?

What is your size? (Clothes).............................. Quelle est votre taille?

What size do you take? (Shoes).......................... Quelle pointure faites-vous?

Food

Have you any bread/meat/olive oil/eggs? .... Est-ce que vous avez **du** pain/**de la** viande/ **de l'**huile d'olive/**des** œufs?

Have you got a small packet of coffee?............. Avez-vous un petit paquet de café?

I would like three peaches, please .... Je voudrais trois pêches, s'il vous plaît

Give me a kilo of potatoes, please .... Donnez-moi un kilo de pommes de terre, s'il vous plaît

I'll take two tins of sardines .... Je prendrai deux boîtes de sardines

I'd like 250 grammes of chocolate .... Je voudrais 250 grammes de chocolat

No thank you, I won't take that - it's too dear .... Non, merci, je ne prends pas cela - c'est trop cher

Amounts and quantities

100 grammes of... .... cent grammes de...
500 grammes of cherries.................................... cinq cent grammes de cerises
a kilo of apples .... un kilo de pommes
a bottle of... .... une bouteille de...
a jar of... .... un pot de...
a packet/tin/box of biscuits .... un paquet/une boîte de biscuits
a piece of cake .... une tranche/un morceau de gâteau
a slice of ham .... une tranche de jambon
The oranges are 5 francs each .... Les oranges coûtent 5 francs la pièce

Clothes

What size is it? .... C'est quelle taille?
I am size 14 .... Je fais du quarante
How much does that jumper cost? .... Ce pullover coûte combien, s'il vous plaît?
Do you have it in a different colour?................. Vous l'avez d'une autre couleur?
May I try on the blue skirt, please? .... Est-ce que je peux essayer la jupe bleue, s'il vous plaît?
It's too big/small/tight/expensive .... C'est trop grand/petit/étroit/cher
Have you anything cheaper? .... Vous n'avez rien de moins cher?

Shoes

Where is the shoe department, please? .... Où est le rayon des chaussures, s'il vous plaît?
I would like to try on these black shoes, please .. Je voudrais essayer ces chaussures noires, s'il vous plaît
I take size 6 .... Je fais du trente-neuf
They are too tight .... Elles sont trop étroites
I prefer the blue sandals...................................... Je préfère les sandales bleues

Presents and souvenirs

Have you any postcards, please? .... Avez-vous des cartes postales, s'il vous plaît?
Do you sell films ?.. Est-ce que vous vendez des pellicules?
What is the price of this book, please? .... A quel prix est ce livre, s'il vous plaît?
I would like to buy a black leather handbag .... Je voudrais acheter un sac de cuir noir
May I see the bag which is in the window on the left? .... Est-ce que je peux regarder le sac qui est dans la vitrine à gauche?
It's for a present.. C'est pour offrir
Will you gift-wrap it, please?............................. Voulez-vous en faire un paquet-cadeau, s'il vous plaît?

Problems

I think there is a mistake..................................... Je crois qu'il y a une erreur
The colour does not suit me .... La couleur ne me va pas
I have kept the receipt... J'ai conservé le reçu

I would like to change this bag..........................Je voudrais échanger ce sac

I followed the washing instructions, but this jumper has shrunk..................J'ai suivi les instructions pour le lavage, mais ce pullover a rétréci

Excuse me, these socks are not the same size.....Excusez-moi, ces chaussettes ne sont pas de la même grandeur

Eating and drinking

In a café

What is the way to the Café de la Poste, please?.Pour aller au Café de la Poste, s'il vous plaît?

I've promised to meet my penfriend there..........J'ai promis d'y retrouver mon correspondant/ ma correspondante

Let's go for a drink ....Allons prendre un verre

I'll buy you a drink ....Je t'invite

I'm paying ....C'est moi qui paie

Waiter!...Monsieur!

Waitress!..Mademoiselle! Madame!

What will you have? ....Qu'est-ce que vous prenez/tu prends?

What would you like to drink? ....Qu'est-ce que vous voulez/tu veux boire?

Do you wish to order?.......................................Vous voulez commander quelque chose?

I would like a bottle of lemonade, please............Je voudrais une bouteille de limonade, s'il vous plaît

I would like a beer, please.................................Je voudrais une bière, s'il vous plaît

Anything else? ....C'est tout?/Et avec ça?

Have you any crisps, please?.............................Avez-vous des chips, s'il vous plaît?

Do you sell sandwiches? ....Vendez-vous des sandwiches?

What sort of sandwiches have you?....................Qu'est-ce que vous avez comme sandwiches?

Have you any cheese sandwiches, please?..........Avez-vous des sandwiches au fromage, s'il vous plaît?

How much is a ham sandwich? ....C'est combien, un sandwich au jambon?

How much do I owe you? ....Je vous dois combien?

Is the service charge included?..........................Le service est compris?

In a restaurant

Have you a table for four?.................................Avez-vous une table pour quatre?

What name is it? ....C'est à quel nom?

I'd like a table near the window/ on the terrace, please ....Je voudrais une table près de la fenêtre/ à la terrasse, s'il vous plaît

I've reserved a table in the name of Robert ....J'ai reservé une table au nom de Robert

I'd like to see the menu, please ....Je voudrais regarder la carte, s'il vous plaît

What do you recommend?.................................Qu'est-ce que vous conseillez?

I recommend the fish ....Je vous conseille le poisson

Today's set meal is ... .Le plat du jour est ...

I'll have the 90 franc meal ....Je prendrai le menu à 90 francs

Have you decided?..Vous avez décidé?

I'd like to order now ....Je voudrais commander maintenant

To start with, I'll have tomato salad.................. Comme hors d'œuvre, je prendrai une salade de tomates
For the main course, I'd like steak and chips ..... Comme plat principal, je voudrais un steak-frites
What sort of vegetables do you have?................ Qu'est-ce que vous avez comme légumes?
I like mushrooms... J'aime bien les champignons
I won't have spinach; I don't like spinach.......... Je ne prends pas les épinards; je n'aime pas les épinards
I'll have peas and carrots, please........................ Je prendrai des petits pois et des carottes, s'il vous plaît
For dessert I'll have ice cream .... Comme dessert, je prendrai une glace
Which flavours do you have?............................. Quels parfums avez-vous?
I prefer chocolate ice cream................................ Je préfère les glaces au chocolat
I'll have mineral water to drink.......................... Comme boisson, je prendrai de l'eau minérale
May I have the bill, please................................. L'addition, s'il vous plaît

Difficulties

We need another fork .... Il nous manque une fourchette
I ordered 20 minutes ago .... J'ai commandé il y a vingt minutes
That's not what I ordered.................................. Ce n'est pas ce que j'ai commandé
You have brought vanilla ice cream, but I ordered a chocolate ice cream .... Vous avez apporté une glace à la vanille mais j'avais commandé une glace au chocolat
We would like some sugar, please .... Nous voudrions du sucre, s'il vous plaît
The meat is overdone... La viande est trop cuite
Please will you change this glass .... Voulez-vous changer ce verre, s'il vous plaît
I think there is a mistake in the bill.................... Je crois qu'il y a une erreur dans l'addition

Services

At the bank

Which is the counter for changing money? .... Pour changer de l'argent, c'est à quel guichet?
I would like to change some travellers' cheques Je voudrais changer des chèques de voyage
Is there a commission?....................................... Y a-t-il une commission?
What is the exchange rate for the pound?........... Quel est le taux de change pour la livre sterling?
Have you any means of identification? .... Est-ce que vous avez une pièce d'identité?
May I see your passport? .... Puis-je voir votre passeport?
Do I have to sign?.. Faut-il signer?
Where do I have to sign? .... Où faut-il signer?
Would you sign, please...................................... Voulez vous signer, s'il vous plaît
What is today's date?... Quelle est la date aujourd'hui?
May I borrow a pen, please? .... Est-ce que je peux emprunter un stylo, s'il vous plaît?
What time does the bank open/close?................. La banque ouvre/ferme à quelle heure?

At the Post Office

How much does it cost to send a letter to the UK, please? .... C'est combien pour envoyer une lettre au Royaume-Uni, s'il vous plaît?

I would like to send this parcel to the UK........... Je voudrais expédier ce colis au Royaume-Uni

How long will it take?.. Cela mettra combien de temps à arriver?

Letters usually take three days............................ Pour les lettres il faut d'habitude trois jours

Six stamps at 3 francs, please............................ Six timbres à trois francs, s'il vous plaît

Where is the letter box?..................................... Où est la boîte aux lettres?

Over there, next to the phone box....................... Là-bas, à côté de la cabine téléphonique

I'd like to send a telegram.................................. Je voudrais expédier un télégramme

How much is it per word? .... C'est combien par mot?

What time is the next collection?........................ La prochaine levée est à quelle heure?

Is the post office open on Saturday morning, please? ..... Est-ce que le bureau de poste est ouvert le samedi matin, s'il vous plaît?

Will you weigh this parcel, please? .... Pouvez-vous me peser ce colis, s'il vous plaît?

Is there a letter for me, please?.......................... Est-ce qu'il y a une lettre pour moi, s'il vous plaît?

What is your name? .... Comment vous appelez-vous?

My name is ... . Je m'appelle ...

Have you any means of identification?.............. Est-ce que vous avez une pièce d'identité?

Here is my passport... Voici mon passeport

Using the phone

Hello, Anne speaking... Allô, Anne à l'appareil

This is the Legrand's house................................ Vous êtes bien chez M et Mme Legrand

I am Michel's English penfriend .... Je suis le correspondant anglais/la correspondante anglaise de Michel

Is Michel there? .... Est-ce que Michel est là?

Everyone's out. Can I take a message?.............. Tout le monde est sorti. Voulez-vous laisser un message?

It's the first time I've used a phone in France..... C'est la première fois que je me sers du téléphone/je téléphone en France

Say that again, please... Répétez, s'il vous plaît

Will you spell that, please?................................ Pouvez-vous me l'épeler, s'il vous plaît?

You are wanted on the phone .... On vous demande au téléphone

Can I use the phone box outside the Post Office? .... Est-ce que je peux téléphoner de la cabine devant la poste?

Is it a card phone? .... C'est un téléphone à carte?

Do you sell phone cards? .... Vendez-vous des télécartes?

I would like a 50 unit card................................. Je voudrais une carte de cinquante unités

Can I phone from here?...................................... Est-ce que je peux téléphoner d'ici?

Can you get me 57-43-33, please .... Je voudrais le 57-43-33, s'il vous plaît

What is your phone number?............................. Quel est votre numéro de téléphone?

Do you know the code?...................................... Est-ce que vous connaissez l'indicatif?

What is the code for London? .... Quel est l'indicatif pour Londres?

Our phone number is 57-74-33	Notre numéro de téléphone est le 57-74-33
Where are the directories?	Où sont les annuaires?
You must phone Directory Enquiries	Il faut téléphoner au Service des Renseignements
You must consult the Minitel	Il faut consulter le Minitel
How do you use the Minitel, please?	Comment faut-il faire pour utiliser le Minitel, s'il vous plaît?
Can you tell me the number of the hospital, please?	Pouvez-vous me dire le numéro de téléphone de l'hôpital, s'il vous plaît?
I would like to reverse the charges	Je voudrais téléphoner en PCV?
I've been cut off	J'ai été coupé(e)
Hold the line/Don't hang up	Ne quittez pas
I need to phone UK Please what must I do?	Je dois téléphoner au Royaume-Uni Comment faut-il faire?
To ring UK, dial 00 44, then the area code without the 0, then the number of the person you are ringing.	Pour téléphoner au Royaume-Uni, faites le 00 44 puis l'indicatif de la région sans le zéro, et puis le numéro de la personne à qui vous téléphonez.

The workplace

Phoning at work

Is M Durand available today?	Est-ce que M Durand est disponible aujourd'hui?
May I speak to the Personnel Manager, please?	Est-ce que je peux parler avec le directeur du personnel, s'il vous plaît?
I have an appointment with the Personnel Manager	J'ai rendez-vous avec le directeur du personnel
I saw your advert in the paper	J'ai vu votre annonce dans le journal
Can you send me a job application form, please?	Pouvez-vous m'envoyer un formulaire de demande d'emploi, s'il vous plaît?
I would like to speak to ...	Je voudrais parler avec ...
Can you put me through to ..., please?	Pouvez-vous me passer ..., s'il vous plaît?
Do you know his/her extension?	Connaissez-vous le numéro de poste?
I would like to make an appointment with...	Je voudrais prendre rendez-vous avec...
Who is speaking?	C'est de la part de qui?
Can you wait?	Pouvez-vous attendre?
He is in a meeting	Il est en réunion
When can I speak to him?	Quand est-ce que je pourrai le joindre?
I phoned, but it was engaged	J'ai téléphoné, mais c'était occupé
Can you ring back?	Pouvez-vous me retéléphoner?
What time shall I ring back?	Je vous retéléphone vers quelle heure?
I'll ring back at midday	Je retéléphonerai vers midi
May I leave a message?	Est-ce que je peux laisser un message?
Please tell M Durand that Mme Lebrun called	Dites à Monsieur Durand que Madame Lebrun a téléphoné, s'il vous plaît
May I take a message for him/her?	Voulez-vous que je lui fasse une commission?
Can we arrange a meeting?	Pouvons-nous convenir un rendez-vous?
Can you fax me a message?	Pouvez-vous m'envoyer un fax?

My fax number is ....Mon numéro de fax est le...
Can you send me an e-mail, please? ....Pouvez-vous m'envoyer un e-mail, s'il vous plaît?
My e-mail address is... ... .Mon adresse e-mail/électronique est...

Applying for a job

Where is the Job Centre, please? ....Où est l'ANPE, s'il vous plaît?
(ANPE = l'agence nationale pour l'emploi)
I want to find a job..Je cherche du travail
I'm looking for a part-time job...........................Je cherche un emploi à temps partiel
Where do you come from? ....D'où venez-vous?
I come from Malvern ....Je viens de Malvern
Are you staying long in France?.........................Comptez-vous rester longtemps en France?
Yes, I'm staying for six weeks ....Oui, je vais rester six semaines
What work have you done before? ....Quel travail avez-vous déjà fait?
I've worked in a supermarket.............................J'ai travaillé dans un supermarché
Why did you decide to apply for this job? ....Pourquoi avez-vous décidé de vous présenter pour ce poste?
It interests me..Ça m'intéresse
Have you any experience of office work?...........Avez-vous déjà travaillé dans un bureau?
Yes, I did work experience in an office ....Oui, j'ai fait un stage dans un bureau
Are you computer-literate?................................Vous êtes initié(e) à l'informatique?
Yes, I have a computer at home ....Oui, j'ai un ordinateur chez moi
What languages have you studied, besides French? . Quelles langues avez-vous étudiées à part le français?
I have studied German/Spanish ....J'ai étudié l'allemand/l'espagnol
Are you willing to work on Saturday? ....Vous êtes prêt(e) à travailler le samedi?
Yes, certainly. ....Oui, certainement
Can you give me details about the job? ....Pouvez-vous me donner des renseignements sur le poste?
You will deal with the post ....Vous vous occuperez du courrier
You will have to do the filing............................Vous devrez classer des documents
When can you start? ....Quand pourrez-vous commencer?
I can start whenever you wish ....Je peux commencer quand vous voulez
Will you fill in the form, please? ....Voulez-vous remplir le formulaire, s'il vous plaît?

Holidays

At the tourist office

What should we see in the town? ....Qu'est-ce qu'il faut voir en ville?
Do you do guided tours of the town? ....Y a-t-il des visites guidées de la ville?
I would like a town plan, please ....Je voudrais un plan de la ville, s'il vous plaît
Have you like a map of the area? ....Avez-vous une carte de la région?
Can you give me a list of campsites? ....Pouvez-vous me donner une liste des terrains de camping?

Can you recommend a good hotel/ restaurant in the town? .... Pouvez-vous me conseiller un bon hôtel/ un bon restaurant en ville?
We are only spending three days here .... Nous ne sommes ici que pour trois jours
Have you any brochures about the cathedral? .... Avez-vous des dépliants sur la cathédrale?
When is the museum open? .... Quand est-ce que le musée est ouvert?
Is it closed on Tuesdays? .... C'est fermé le mardi?
Do you have to pay to go in? .... Est-ce que l'entrée est gratuite?
Where is the bus station? .... Où est la gare routière?
May I have a bus timetable, please? .... Est-ce que je peux avoir un horaire d'autobus, s'il vous plaît?
Can one go for trips to the seaside? .... Peut-on faire des excursions au bord de la mer?
Where can I hire a car/bike? .... Où est-ce que je peux louer une voiture/un vélo?
Have you information about other parts of France? .... Avez-vous des dépliants sur d'autres régions de France?
I like visiting castles/churches .... J'aime visiter des châteaux/des églises
I have never been there .... Je n'y suis jamais allé(e)
Can I get there by train? .... Peut-on y aller en le train?
Do I have to go on the motorway? .... Est-ce que je suis obligé(e) de prendre l'autoroute?
Where do I get onto it? .... Où est la bretelle d'accès?
Which exit is it? .... C'est quelle sortie?
It's exit 9 .... C'est la sortie numéro 9

At the hotel

Have you any rooms available? .... Avez-vous des chambres libres?
No, I'm sorry, the hotel is full .... Non, je regrette, c'est complet
Is there another hotel nearby? .... Y a-t-il un autre hôtel près d'ici?
I have reserved a room in the name of Robert .... J'ai réservé une chambre au nom de Robert
I phoned you two days ago .... Je vous ai téléphoné il y a deux jours
I sent you a fax yesterday .... Je vous ai envoyé un fax hier
No, I am not Mr X, I am Mr Y .... Non, je ne suis pas Monsieur X, je suis Monsieur Y
I would like a single room .... Je voudrais une chambre pour une personne
I would like a double room .... Je voudrais une chambre pour deux personnes
with a double bed/with twin beds .... avec un grand lit/avec deux lits
with bathroom/shower .... avec salle de bain/avec douche
For how long?/For how many nights? .... Pour combien de temps/Pour combien de nuits?
We shall be staying for four nights .... On compte rester quatre nuits
What is the price per person/per night? .... Quel est le prix de la chambre par personne/ par nuit?
Is breakfast included? .... Est-ce que le petit déjeuner est compris?
May I have the key to my room, please? .... Puis-je avoir la clé de ma chambre, s'il vous plaît?
Here is the key for room 38 .... Voici la clé de la chambre 38
Is there a car-park? .... Y a-t-il un parking?
You can park behind the hotel .... Vous pouvez stationner derrière l'hôtel
Parking is not allowed in front of the hotel .... Il est interdit de stationner devant l'hôtel

When is breakfast? .... A quelle heure peut-on prendre le petit déjeuner?

You can have breakfast between 7.00 and 10.00 .... On peut prendre le petit déjeuner entre sept heures et dix heures

At what time is dinner served? .... Le dîner est servi à quelle heure?

Dinner is served from 8.00 until 10.00 pm .... Vous pouvez dîner entre huit heures et dix heures du soir

Is there a lift? Does the lift work? .... Y a-t-il un ascenseur? L'ascenseur marche?

Does the hotel have a restaurant? .... Il y a un restaurant à l'hôtel?

I'm sorry, we do not have a restaurant .... Je regrette, mais nous n'avons pas de restaurant

There is a very good restaurant on the corner .... Il y a un excellent restaurant au coin de la rue

May I have towels and soap for Room 38, please .... Je voudrais des serviettes et du savon pour la chambre 38, s'il vous plaît

There are no coathangers in Room 17 .... Il n'y a pas de cintres dans la chambre 17

I have lost the key to my room .... J'ai perdu le clé de ma chambre

I'm sorry, but I have broken the lamp .... Je regrette, mais j'ai cassé la lampe

We could not sleep because of the traffic noise .... Nous n'avons pas pu dormir à cause du bruit de la circulation

We would like to change rooms, please .... Nous voudrions changer de chambre, s'il vous plaît

Please can someone bring up my cases? .... Est-ce que quelqu'un peut monter mes valises s'il vous plaît?

May I have the bill, please? .... La note, s'il vous plaît

At the youth hostel

Where is the nearest youth hostel, please? .... Où est l'auberge de jeunesse la plus proche, s'il vous plaît?

May I see the warden, please? .... Je voudrais voir le père aubergiste/la mère aubergiste, s'il vous plaît

Have you any beds available for tonight? .... Est-ce que vous avez des lits pour cette nuit?

There are three of us, two girls and one boy .... Nous sommes trois, deux filles et un garçon

How much is it per day? .... C'est combien la nuit?

How much is breakfast/evening meal? .... C'est combien le petit déjeuner/le dîner?

Can I hire a sleeping bag? .... Puis-je louer un sac de couchage?

Where is the boys'/girls' dormitory, please? .... Où est le dortoir des garçons/des filles, s'il vous plaît

The girls' dormitory is on the first floor .... Le dortoir des filles est au premier étage

The TV room/day room/games room is on the ground floor .... La salle de télévision/la salle commune/la salle de jeu est au rez-de-chaussée

What time do we have to be back at night? .... A quelle heure faut-il rentrer le soir?

At the camp site

Have you room for a tent ? .... Avez-vous de la place pour une tente?
Have you a pitch for a caravan, please? .... Avez-vous un emplacement de libre pour une caravane, s'il vous plaît
How long do you plan to stay?............................ Vous comptez rester combien de temps?
We would like to stay until Saturday/ four nights in all .... Nous voudrions rester jusqu'à samedi/ quatre nuits en tout
I would like to be near the swimming pool .... Je voudrais être près de la piscine
I do not like being under trees............................ Je n'aime pas être sous les arbres
How many people are there?.............................. Vous êtes combien de personnes?
There are four of us, 2 adults and 2 children ...... Nous sommes quatre, deux adultes et deux enfants
Is there half-price for children?.......................... Est-ce que les enfants paient demi-tarif?
Is there a shop on site?....................................... Y a-t-il une boutique dans le terrain?
The toilet block is by the trees .... Le bloc sanitaire est près des arbres
The dustbins are behind the toilet block .... Les poubelles sont derrière le bloc sanitaire
Is there an electric connection for caravans? ...... Est-ce qu'il y a une prise électrique pour les caravanes?
Where can I get bottles of Camping Gaz®? .... Où est-ce que je peux obtenir du Camping Gaz®/ des cartouches de Camping Gaz®?
Is there a play area for the children? .... Y a-t-il un terrain de jeux pour les enfants?
Can we get take-away meals on site? .... Est-ce qu'on peut acheter des repas à emporter sur ce terrain?
The shower is not working.................................. La douche ne fonctionne pas
We have no electricity .... Nous n'avons pas d'électricité
May we have a barbecue? .... On peut faire un barbecue?

Travel and transport

By train

Where is the nearest station?.............................. Où est la gare la plus proche?
How far is that? .... C'est à quelle distance d'ici?
Where is that exactly?... Ça se trouve où exactement?
What time does the train leave for Paris? .... Le train pour Paris part à quelle heure?
When/At what time does it arrive there? .... Quand/A quelle heure est-ce qu'il arrive?
Which platform does the train go from?............. Le train part de quel quai?
Is it a through train?... C'est direct?
Do I have to change? .... Faut-il changer?
When does the train from Marseille arrive? .... Le train en provenance de Marseille arrive à quelle heure?
A single ticket to Marseille, please...................... Un aller simple pour Marseille, s'il vous plaît
A second class return to Bordeaux, please.......... Un aller-retour, deuxième classe pour Bordeaux, s'il vous plaît
When does the next train for Nantes leave?........ Le prochain train pour Nantes part à quelle heure?
Is there a train this morning/about 3.00 pm/ this evening? .... Est-ce qu'il y a un train ce matin/vers trois heures/ ce soir?

I'd like to reserve a seat ....Je voudrais réserver une place
I'd like a seat near the window...............................J'aimerais une place près de la fenêtre
How long does the journey take?............................Le voyage dure combien de temps?
The journey takes about two hours........................Le voyage dure deux heures à peu près
How much does a first class ticket cost?.............Quel est le prix d'un billet de première classe?
How long will I have to wait? ....Combien de temps faut-il attendre?
Will the train arrive on time? ....Est-ce que le train arrivera à l'heure?
The train will be an hour late because of track repairs ....Le train aura deux heures de retard à cause des réparations de voie
You have missed the train ....Vous avez raté le train
It left ten minutes ago ....Il est parti il y a dix minutes
It is already 10 past 9 ....Il est déjà neuf heures dix
It is not yet 10.30 ....Il n'est pas encore dix heures et demie
The clock is right ....L'horloge est à l'heure
The clock is fast/slow...L'horloge avance/retarde

By plane
When does the next plane for Berlin leave?........A quelle heure part le prochain vol pour Berlin?
Is there a flight to Paris today/this morning/ this evening?.......Y a-t-il un vol pour Paris aujourd'hui/ce matin/ ce soir?
I'd like a seat in the non-smoking section...........Je voudrais une place non-fumeurs
A tourist class ticket...Un billet de classe touriste/Un billet touristique
I would like to leave this morning.......................Je voudrais partir ce matin
There are no more seats available........................Il n'y a plus de places
I'd like to change flights ....Je voudrais changer de vol
Is there a coach/bus to the airport? ....Y a-t-il un car/un autobus pour aller à l'aéroport?
Can you confirm the arrival time of the plane from London? ....Pouvez-vous me confirmer l'heure d'arrivée du vol en provenance de Londres?
Can you confirm the departure time of the plane to Madrid?...............Pouvez-vous me confirmer l'heure de départ du vol pour Madrid?
The flight has been delayed.................................Le vol a été retardé
It took off an hour late ....Il a décollé avec une heure de retard
Where are my cases?..Où sont mes valises?
I checked them in at Heathrow............................Je les ai enregistrées à Heathrow
Where is the duty-free shop?...............................Où est la boutique hors-taxes?
On board..A bord de l'avion
Fasten your belts ....Attachez vos ceintures

By bus/metro/tram
Where is the bus stop?..Où est l'arrêt d'autobus?
A book of tickets, please ....Un carnet, s'il vous plaît
Don't forget to stamp your ticket ....N'oubliez pas de composter votre billet
The bus was half an hour late because of the fog/snow............L'autobus avait une demi-heure de retard à cause du brouillard/de la neige

How often do the buses run? ... Il y a un autobus tous les combien?
I've been waiting 20 minutes already ... J'attends déjà depuis vingt minutes
What time is the first/last bus? ... A quelle heure part le premier/dernier autobus?
Is this the right bus for the town centre? ... C'est bien l'autobus pour le centre-ville?
You get off at the town hall ... Vous descendez à l'hôtel de ville
Have I missed the last bus? ... Est-ce que j'ai raté le dernier autobus?
The nearest tube station is by the theatre ... La station la plus proche est près du théâtre
Which line must I take? ... Quelle ligne faut-il prendre?
You change here/at the next station ... Vous changez ici/à la prochaine station
Are there any seats? ... Est-ce qu'il y a des places libres?
This seat is taken ... Cette place est occupée
The underground is very convenient ... Le métro est très pratique

By taxi

Would you like to phone for a taxi? ... Voudriez-vous téléphoner pour un taxi?
I haven't got the fare for a taxi ... Je n'ai pas de quoi payer un taxi
Where is the taxi rank, please? ... Où est la station de taxis, s'il vous plaît?
How much would it cost to go to the airport? ... C'est combien pour aller à l'aéroport?
How long does the journey take? ... Le trajet dure combien de temps?
Will you come for me at 9.00 tomorrow morning? ... Voulez-vous passer me chercher à neuf heures demain matin

On the boat

Do you want to go on deck? ... Voulez-vous monter sur le pont?
I've lost my landing card ... J'ai perdu ma carte d'émbarquement
I feel seasick! ... J'ai le mal de mer!

At the garage

Do you do repairs? ... Faites-vous des réparations?
My car has broken down ... Je suis tombé(e) en panne
I've run out of petrol ... Je suis tombé(e)en panne d'essence
I've got a puncture ... J'ai un pneu crevé
The engine won't start ... Le moteur ne veut pas démarrer
The brakes/The lights are not working ... Les freins/Les phares ne fonctionnent pas
The battery is flat ... La batterie est à plat
What make of car is it? ... C'est quelle marque de voiture?
What is your registration number? ... Quel est votre numéro d'immatriculation?
Where are you exactly? ... Où êtes-vous exactement?
I'm on the RN 43, 5 kilometres from Calais ... Je suis sur la RN 43 à cinq kilomètres de Calais

At the petrol station

30 litres of unleaded/super unleaded, please ... Trente litres de sans plomb/super sans plomb, s'il vous plaît
25 litres of diesel, please ... Vingt-cinq litres de gazole, s'il vous plaît
Fill it up, please ... Faites le plein, s'il vous plaît

Please check the oil/water .... Vérifiez le niveau de l'huile/le niveau de l'eau, s'il vous plaît
Please check the battery/the tyres .... Voulez-vous vérifier la batterie/les pneus, s'il vous plaît
Will you reverse, please? .... Reculez, s'il vous plaît
Will you switch the engine off, please? .... Coupez le moteur, s'il vous plaît
Do you take credit cards? .... Acceptez-vous des cartes de crédit?
Are there any toilets here? .... Y a-t-il des toilettes ici?
Do you sell maps/town plans/drinks? .... Est-ce que vous vendez des cartes/des plans de la ville/des boissons?
Over there by the cash desk/toilets .... Là-bas, près de la caisse/près des toilettes
Is it self-service? .... C'est libre-service?
One of your tyres is soft .... Un de vos pneus est dégonflé
I would like to pump up the tyres .... Je voudrais gonfler les pneus

Hiring a bicycle

I would like to hire a bike, please .... Je voudrais louer un vélo, s'il vous plaît
A touring bike/a mountain bike .... Un vélo de tourisme/un VTT
Is there a repair kit with the bike? .... Y a-t-il une trousse de réparations avec le vélo?
You have to pay 200 francs deposit .... Vous devez payer 200 francs de caution
Will you fill in this form, please? .... Remplissez la fiche, s'il vous plaît
How long do you want the bikes? .... Vous louez les vélos pour combien de temps?
For three days .... Pour trois jours

Asking directions

How do I get to the cathedral, please? .... Pour aller à la cathédrale, s'il vous plaît?
Where is the station, please? .... Où est la gare, s'il vous plaît?
Is there a hotel near here? .... Y a-t-il un hotel près d'ici?
Turn left at the traffic lights .... Tournez à gauche aux feux
It's on your right after the library .... C'est à droite après la bibliothèque
Go straight on as far as the roundabout .... Continuez tout droit jusqu'au rond-point
Cross the road .... Traversez la rue
Go up/down the road .... Montez/Descendez la rue
Go along the road .... Continuez le long de la rue
Follow this road till you get to the town hall ...... Suivez cette rue jusqu'à l'hôtel de ville
Take the first/second/third on the right .... Prenez la première/deuxième/troisième à droite
It is a large building near the sea .... C'est un grand bâtiment près de la mer
You can get there by bus/tram/metro .... Vous pouvez prendre l'autobus/le tram/le métro
You'll have to take a taxi .... Il faut prendre un taxi
It's thirty kilometres from here .... C'est à trente kilomètres d'ici
Opposite the bank .... En face de la banque
On the right of the cinema .... A droite du cinéma
To the left of the park .... A gauche du jardin public
Beside the lake .... A côté du lac

Between the chemist's and the supermarket....... Entre la pharmacie et le supermarché
At the end of the corridor.................................. Au fond du couloir
On the first/second/top floor .... C'est au premier/deuxième/dernier étage
It's near to the old house with a red roof............ C'est près de la vieille maison au toit rouge
How long will it take? .... Il me faut combien de temps?
Are you walking or in a car?.............................. Vous êtes à pied ou en voiture?
It will take twenty minutes on foot.................... Vous en avez pour vingt minutes à pied

Invitations and outings

Making arrangements

What would you like to do this evening? .... Qu'est-ce que vous voulez/tu veux faire ce soir?
Shall we go out this evening? .... Si on sortait ce soir?/On sort ce soir?
Where would you like to go?............................. Où voulez-vous/veux-tu aller?
Can we go to the cinema?................................. Est-ce qu'on peut aller au cinéma?
What time shall we meet?................................. On se retrouve à quelle heure?
I'll see you at 8.00 pm .... Je vous/te verrai à huit heures du soir
Where shall we meet?.. Où est-ce qu'on se retrouve?
I'll see you outside the restaurant....................... On se retrouve devant le restaurant
Shall we stay in?.. Si on restait à la maison?
Can we hire a video? .... Est-ce qu'on peut louer une vidéo?
Have you seen *"Romeo and Juliet"*? .... Vous avez/tu as vu *"Roméo et Juliette"?*
Is it out on video?.. Il est sorti en vidéo?
Shall we go for a drink?.................................... Si on allait prendre un verre?
I'm paying!... Je vous/t'invite

Accepting and refusing

Yes, I'd love to .... Avec le plus grand plaisir
I'd love to.. Je veux bien
OK, agreed .... D'accord, entendu
Of course... Bien sûr
Certainly... Certainement
Thank you .... Merci
It depends.. Ça dépend
I'm not sure/I don't know .... Je n'en suis pas sûr(e)/Je ne sais pas
I must ask my penfriend .... Il faut que je demande à mon correspondant/ ma correspondante
I'm sorry, I can't make it.................................. Desolé(e), mais je ne peux pas
I've got too much homework/I haven't got time J'ai trop de devoirs/Je n'ai pas le temps
Perhaps we could go tomorrow.......................... On pourrait peût-etre y aller demain?
Sorry, I'm not free.. Desolé(e), mais je ne suis pas libre/Je suis pris(e)
Unfortunately, I'm already doing something...... Malheureusement, je suis déjà pris(e)
Sorry, but I have to babysit for some friends .... Désolé(e), mais je dois faire du babysitting pour des amis

At the cinema

How about going to the cinema? ....Si on allait au cinéma?
What's on? ....Qu'est-ce qu'on joue/passe?
I've already seen it ....Je l'ai déjà vu
I'd like to see a comedy/horror film ....Je voudrais voir un film comique/un film d'épouvante
Is it in English? ....C'est en version anglaise?
Is it the original soundtrack? ....C'est en version originale?
No, it's dubbed ....Non, c'est doublé
Yes, but there are sub-titles ....Oui, mais il y a des sous-titres
What time does the last performance start? ....La dernière séance commence à quelle heure?
How long does it last? ....Ça dure combien de temps?
What time does the film end? ....Le film finit à quelle heure?

Booking a ticket

Can I book seats? ....Puis-je louer/prendre les places à l'avance?
Are there reductions for students? ....Est-ce qu'il y a un tarif réduit pour les étudiants?
Can I buy a student ticket? ....Peut-on acheter un billet étudiant?
How much is it in the balcony/stalls? ....C'est combien au balcon/à l'orchestre?
Two tickets for the balcony, please ....Deux balcons, s'il vous plaît
Shall I give the usherette a tip? ....Faut-il donner un pourboire à l'ouvreuse?

Discussing the show

What did you think of the film/play? ....Comment avez-vous/as-tu trouvé le film/la pièce?
The film was marvellous/interesting ....Le film était merveilleux/intéressant
The concert was boring/awful ....Le concert était ennuyeux/affreux
In my opinion it was too long/serious ....A mon avis c'était trop long/serieux
Did you see Depardieu's latest film? ....Avez-vous/As-tu vu le dernier film de Depardieu?
the part played by Whoopie Goldberg ....le personnage joué par Whoopie Goldberg
Who is your favourite singer/actor? ....Qui est votre/ton chanteur/acteur favori?
Who is your favourite singer/actress? ....Qui est votre/ta chanteuse/votre/ton actrice favorite?
Which group do you like best? ....Quel groupe préférez-vous/préfères-tu?
My favourite singer is ... .Mon chanteur favori/Ma chanteuse favorite est ...

Going to a party

Paul's having a party next week ....Il y aura une boum chez Paul la semaine prochaine
What time does it start? ....Ça commence à quelle heure?
It starts at 9.15 ....Ça commence à neuf heures et quart
Will you come with me to the party on Friday evening? ....Voulez-vous/veux-tu venir avec moi à la boum vendredi soir?
Sorry, I'm going with Michel/Michelle ....Desolé(e), mais j'y vais avec Michel/Michelle

Going to a disco

Are you going to the disco this evening?............ Vous allez/Tu vas en boîte/à la discothèque ce soir?
Yes, I'd love to.. Oui, je veux bien
I'll buy the tickets... Je payerai l'entrée
Can I bring a friend?.. Est-ce que je peux amener un(e) ami(e)?
Sorry, but Dad won't let me go out this week .... Désolé(e), mais mon père ne me permet pas de sortir cette semaine
Sorry, I'm grounded .... Désolé(e), je suis privé(e) de sortie

Going to a pop concert

The group are giving three concerts in Paris this autumn ...... Le groupe va donner trois concerts à Paris cet automne
The first concert will take place in September.... Le premier concert aura lieu en septembre/ au mois de septembre
Where can one buy tickets? .... Où peut-on obtenir des billets?

Playing/Watching a game

Shall we play tennis?.. On va jouer au tennis?
I'll meet you at the Sports Centre tomorrow evening .... Je vous/te retrouverai au centre sportif demain soir
I'm not at all fit .... Je ne suis vraiment pas en forme
We would like to go to a football/rugby match .. Nous voudrions aller voir un match de football/rugby
Which team do you support? .... Vous êtes/tu es pour quelle équipe?
I support Liverpool.. Je suis pour Liverpool
What time does the ice-rink open?..................... La patinoire ouvre à quelle heure?
Can one hire skates? .... Est-ce qu'on peut louer des patins?
The swimming pool closes at 10.00 pm .... La piscine ferme à dix heures du soir
Would you like to go horse-riding tomorrow afternoon? .... Voulez-vous/Veux-tu faire une promenade à cheval demain après-midi?
I'd prefer to go for a walk................................. J'aimerais mieux faire une promenade

Problems - Great and Small!

At the doctor's

What is the matter?... Qu'est-ce qu'il y a? Qu'est-ce qui ne va pas?
I don't feel well .... Je ne me sens pas bien
I feel ill... Je me sens malade
My head hurts/aches .... J'ai mal à la tête
I have hurt my back .... Je me suis fait mal au dos
He has trapped his fingers.................................. Il s'est coincé les doigts
She has twisted her ankle.................................... Elle s'est foulé la cheville
She will have to walk on crutches....................... Elle devra marcher avec des béquilles
Can you give me something for the pain? .... Pouvez-vous me donner un analgésique?
I'm allergic to .... Je suis allergique à .....
I've been stung by a bee/wasp/horse fly............. J'ai été piqué(e) par une abeille/une guêpe/un taon

Here is a prescription for some tablets................Voici une ordonnance pour des comprimés
Take one four times a day, after meals ....Prenez un cachet quatre fois par jour après chaque repas
My father has been taken ill ....Mon père est tombé malade
Will you come and see him, please?...................Veuillez venir le voir, s'il vous plaît?
Is this the first time that this has happened?........C'est la première fois que ceci vous arrive?
No, it happens quite often ....Non, ça arrive assez souvent
I feel dizzy ....La tête me tourne
Her ankle is swollen...Elle a la cheville enflée
I've been sick..Je viens de vomir
The doctor cannot come.....................................Le médecin ne peut pas venir

At the dentist's

May I have an appointment? ....Est-ce que je peux prendre rendez-vous?
I have toothache...J'ai mal aux dents
I've lost a filling ....Mon plombage a sauté
Are you going to give me an injection?..............Est-ce que vous allez me faire une piqûre?
Pay at reception...Vous payez à la reception

At the chemist's

Have you something for a cold?.........................Avez-vous quelque chose contre un rhume?
I need some tissues...J'ai besoin de mouchoirs en papier
Can you recommend an insect repellent cream? .Pouvez-vous me conseiller une crème anti-insecte?
I have a temperature...J'ai de la fièvre
I've got blisters on my right foot........................J'ai des ampoules au pied droit
My brother is suffering from sunburn.................Mon frère a pris un coup de soleil
Have you any after-sun cream? ....Avez-vous de la crème après-soleil?
I would like some plasters/cotton wool...............Je voudrais du sparadrap/du coton hydrophile
I would like a bottle of cough mixture................Je voudrais une bouteille de sirop pour la toux
A large one or a small one?...............................Une grande ou une petite?
My sister has stomach-ache...............................Ma sœur a mal à l'estomac
She has eaten too many peaches........................Elle a mangé trop de pêches
I'm sorry, I don't sell films ....Je regrette, je ne vends pas de pellicules
You'll have to go to the photographer's ....Il faut aller chez le photographe
The chemist opens at 9.00 am ....La pharmacie ouvre à neuf heures du matin
The duty chemist is open on Sunday morning....La pharmacie de garde est ouverte dimanche matin
I advise you to go to the hospital........................Je vous conseille d'aller à l'hôpital
It is serious..C'est grave
No, it is not serious ....Non, ce n'est pas grave

Accidents

There has been an accident................................Il y a eu un accident
Where/When did it happen? ....Où/Quand cela s'est-il passé?
What was the weather like?...............................Quel temps faisait-il?
The boy has been run over ....Le garcon a été renversé

He must be taken to hospital.............................. Il faut le transporter à l'hôpital
We must phone the police/for an ambulance...... Il faut téléphoner à la police/pour une ambulance
My car/motorbike is damaged............................ Ma voiture/ma moto est abimée
What is your name and address?........................ Votre nom et votre adresse, s'il vous plaît
Will you write it down for me?.......................... Voulez-vous me l'écrire?
He wasn't looking where he was going.............. Il ne faisait pas attention où il allait
Was he going (too) fast?................................... Est-ce qu'il roulait (trop) vite?
How did the accident happen? .... Comment est-ce que l'accident est arrivé?
I collided with the car.. Je suis entré(e) en collision avec la voiture
Have you got your driving licence? .... Avez-vous votre permis de conduire?
Do you want to see my passport?...................... Voulez-vous voir mon passeport?
Have you got your insurance certificate? .... Avez-vous votre carte d'assurance?
He was badly hurt.. Il a été gravement blessé/sérieusement touché
It wasn't his right of way .... Il n'avait pas la priorité
Where is the first aid kit?.................................. Où est la trousse de premier secours?
Don't move her! .... Ne la déplacez pas!
Were there any witnesses? .... Est-ce qu'il y a eu des témoins?
I saw what happened.. J'ai vu ce qui est arrivé
The accident happened at the crossroads............ L'accident a eu lieu au carrefour
It was the lorry driver's fault .... C'était la faute du routier
Two people were injured in the accident............ L'accident a fait deux blessés
It wasn't my fault .... Ce n'était pas de ma faute
I fell when I was ski-ing .... Je suis tombé(e) en faisant du ski
She's fallen in the water .... Elle est tombée à l'eau
He had left the ball on the stairs......................... Il avait laissé le ballon dans l'escalier
My brother has burned himself with some matches..Mon frère s'est brûlé avec des allumettes
She fell off the horse and broke her arm .... Elle est tombée du cheval et s'est cassé le bras

Minor disasters

I'm sorry, I'm late .... Excusez-moi d'arriver en retard
I got lost .... Je me suis trompé(e) de chemin
The traffic was heavy .... Il y avait beaucoup de circulation
I've lost a contact lens/my sunglasses .... J'ai perdu une lentille/mes lunettes de soleil
I've broken a plate/glass/cup.............................. J'ai cassé une assiette/un verre/une tasse
I've ripped my pullover .... J'ai dechiré mon pullover
He has lost his calculator .... Il a perdu sa calculatrice/calculette
He dropped a cigarette and burned the carpet..... Il a laissé tomber une cigarette qui a brulé la moquette
He has broken the window................................. Il a cassé la vitre
I've got oil on my skirt...................................... J'ai de l'huile sur ma jupe
Can you clean it for me, please? .... Pouvez-vous me la nettoyer, s'il vous plaît?
My watch is broken .... Ma montre ne fonctionne pas
The sink is blocked.. L'évier est bloqué
The washing machine is not working................. Le lave-linge est en panne

Can you repair it for me? ....Pouvez-vous me le réparer?
Can you come back for it on Saturday? ....Pouvez-vous revenir le prendre samedi?
That's not possible, I go home tomorrow ....Ce n'est pas possible, je rentre chez moi demain

At the lost property office

I've lost my passport/camera/camcorder ....J'ai perdu mon passeport/mon appareil-photo/ mon caméscope
Where have you looked for it? ....Où est-ce que vous l'avez cherché(e)?
I've looked in my case/in my room/everywhere .J'ai cherché dans ma valise/dans ma chambre/partout
Where did you lose your bag? ....Où est-ce que vous avez perdu votre sac?
I must have left it on the bus ....J'ai dû le laisser dans l'autobus
When did you lose your umbrella? ....Quand avez-vous perdu votre parapluie?
Yesterday/last week/this morning.......................Hier/la semaine dernière/ce matin
My wallet has been stolen ....On m'a volé mon portefeuille
I put my wallet on the counter............................J'ai mis mon portefeuille sur le comptoir
You'll have to go to the police station ....Vous devez aller au commissariat de police
What does it look like?.......................................C'est comment?
It is black and made of leather............................Il est noir et il est en cuir
It has got my name in it.....................................Il y a mon nom dedans
It contains 20 francs...Il contient 20 F

Major disasters

The car crashed into the wall/a tree ....La voiture a heurté le mur/un arbre
There was flooding because of the storms ....Il y avait des inondations à cause des orages
There's a smell of burning ....Ça sent le brûlé
I can smell smoke ....Ça sent la fumée
There is a fire near the lift..................................Il y a un incendie près de l'ascenseur
Ring for the fire brigade.....................................Téléphonez aux pompiers
There has been a bomb scare..............................Il y a une alerte à la bombe
Please leave the building....................................Sortez du bâtiment, s'il vous plaît
Can you help me, please?...................................Pouvez-vous m'aider, s'il vous plaît?
She has fainted...Elle s'est évanouie
He is unconscious ....Il est sans connaissance

SECTION 2: GENERAL CONVERSATION

Yourself and your family - short answers

What is your name? .... Comment vous appelez-vous/t'appelles-tu?
My name is Sue/David .... Je m'appelle Sue/David
How old are you? .... Quel âge avez-vous/as-tu?
I am 15/16 .... J'ai quinze/seize ans
Have you any brothers and/or sisters? .... Avez-vous/As-tu des frères/des sœurs?
I have a brother and a sister .... J'ai un frère et une sœur
No, I am an only child .... Non, je suis fils unique/fille unique
Is he/she older/younger than you? .... Est-ce qu'il/elle est plus âgé(e)/moins âgé(e) que vous/toi?
My brother is older. My sister is younger .... Mon frère est plus âgé. Ma sœur est plus jeune
What does your brother look like? .... Comment est votre/ton frère?
My brother is tall .... Mon frère est grand
He has blond hair and blue eyes .... Il a les cheveux blonds et les yeux bleus
What does your sister look like? .... Comment est votre/ta sœur?
My sister is small .... Ma sœur est petite
She has brown hair and brown eyes .... Elle a les cheveux bruns et les yeux bruns
What does your father do? .... Que fait votre/ton père dans la vie?
He is a teacher. He works in a secondary school Il est professeur. Il travaille dans un collège
What does your mother do? .... Que fait votre/ta mère dans la vie?
She is a nurse .... Elle est infirmière
My parents are separated/divorced .... Mes parents sont séparés/divorcés
My brother is out of work .... Mon frère est au chômage
My sister is a student .... Ma sœur est étudiante
Do you like animals? .... Aimez-vous/Aimes-tu les animaux?
Yes, I like animals .... Oui, j'aime les animaux
Have you any animals? .... Avez-vous/As-tu des animaux?
Yes, I have a dog/a cat /a rabbit .... Oui, j'ai un chien/un chat/un lapin
Do you prefer dogs or cats? .... Préférez-vous/Préfères-tu les chiens ou les chats?
I prefer cats/dogs .... Je préfère les chats/les chiens
When is your birthday? .... C'est quand votre/ton anniversaire?
My birthday is July 26th .... Mon anniversaire est le vingt-six juillet
In which year were you born? .... En quelle année êtes-vous/es-tu né(e)?
I was born in 1982 .... Je suis né(e)/en mille neuf cent quatre-vingt-deux
What does your little brother do to annoy you?.. Que fait votre/ton petit frère pour vous/t'embêter?
He hides my cassettes .... Il cache mes cassettes
When is your father strict? .... Quand est-ce que votre/ton père est sévère?
When I come home late at night .... Quand je rentre tard le soir
When I don't do my homework .... Quand je ne fais pas mes devoirs

Yourself and your family - longer answers

1. Tell me about yourself
Parlez-moi/Parle-moi de vous/toi

Je m'appelle Chris. J'ai quinze ans. Mon anniversaire est le dix-neuf mai. Je suis né(e) en dix-neuf cent quatre-vingt-deux à Birmingham et maintenant j'habite Sutton Coldfield. Je suis assez grand(e), J'ai les cheveux blonds et frisés et les yeux bleus. J'aime la musique. Mon groupe préféré s'appelle .... Je suis sportif/sportive. Quand j'ai du temps libre j'aime sortir avec mes ami(e)s ou jouer au tennis. Le week-end je travaille dans un grand magasin. Je suis vendeur/vendeuse.

2. Tell me about your family
Parlez-moi/parle-moi de votre/ta famille

J'ai un frère qui s'appelle Michael. Il est plus âgé que moi. Il a dix-neuf ans. Son anniversaire est le vingt et un octobre. Il travaille dans un bureau au centre de Birmingham. Il est plus grand que moi. Il mesure 1m 68. Il a les cheveux bruns et les yeux gris. Il s'intéresse au rugby.
Je n'aime pas beaucoup mon frère. Il est égoïste. Il est paresseux et il laisse traîner ses affaires partout. Il ne fait jamais rien pour aider à la maison. C'est moi qui dois toujours faire de la vaisselle et promener le chien. Il m'énerve!
Ma sœur s'appelle Claire. Elle a dix-huit ans. Son anniversaire est le vingt et un juin. Elle a les cheveux courts et roux. Elle a les yeux verts. Elle est plus petite que moi. Elle mesure 1m 60. Elle est étudiante. Elle voudrait être institutrice. Elle aime lire et aller au cinéma. Elle n'aime pas le sport. Je m'entends très bien avec ma sœur. Nous sortons ensemble. Elle m'aide quand j'ai des problèmes avec mes devoirs.
Mon père est homme d'affaires. Il travaille à Lichfield. Il part très tôt le matin et revient vers sept heures le soir. Le weekend, il aime faire des randonnées et travailler dans le jardin.
Ma mère est infirmière et elle travaille à mi-temps à l'hôpital à trois kilomètres de chez nous. Ma mère est petite. Elle a les cheveux roux et les yeux bruns. Elle aime regarder la télévision et faire de la natation.

3. Tell me about a friend of yours
Parlez-moi/parle-moi d'un(e) de vos/tes ami(e)s

J'ai une amie/une copine qui habite à côté de chez nous. Elle s'appelle Emma. Elle est très gentille. Elle a quinze ans comme moi. Son anniversaire est le dix-sept décembre. Elle a les cheveux bruns et frisés et les yeux bruns aussi. Elle mesure 1m 62. Elle est plus petite que moi. Elle aime jouer de la flûte et nous jouons ensemble dans l'orchestre du collège. Elle aime bien écouter de la musique et nous allons en ville quelquefois pendant les vacances pour acheter des cassettes. Emma a deux frères. Ce sont des jumeaux. Ils s'appellent Andrew et Jonathan. Ils ont dix-huit ans et se passionnent tous les deux pour le football. Le père d'Emma est professeur et sa mère est secrétaire à l'hôpital.
Emma a un chien noir qui s'appelle Bruce et deux lapins qui s'appellent Peter et Benjamin.
J'ai un ami/un copain qui s'appelle David. Il habite tout près de chez moi. C'est un grand garçon aux cheveux noirs et aux yeux bruns. Il mesure 1m 80. Il a seize ans. Son anniversaire est le vingt-six juillet. Nous prenons l'autobus pour venir au collège tous les jours et nous sortons ensemble avec d'autres amis le week-end. Nous allons à un match de football ou bien nous allons à la piscine.
David aime jouer au cricket et écouter de la musique. Il s'intéresse au jazz. Il a un grand nombre de cassettes. Il a une sœur qui s'appelle Lisa. Lisa a douze ans et elle adore les animaux. Ils ont deux chats et un chien. Leur mère est veuve et elle est pharmacienne.

4. Tell me about your pets
Parlez-moi/Parle-moi de vos/tes animaux

J'aime bien les animaux, surtout les chiens et les chats. J'ai un chien. Il est grand et brun. C'est un colley. Il s'appelle Sandy. Il a de longs poils et je dois le brosser assez souvent. Je le promène chaque jour avant de venir à l'école. Il adore chasser un ballon. J'ai deux chats. L'un s'appelle Tiger et il est noir et blanc. Il a six ans. Il adore chasser les oiseaux dans le jardin. L'autre est plus âgé. Elle s'appelle Smudge. Elle est blanche. Elle est la mère de Tiger. J'aimerais acheter des lapins ou des cochons d'Inde, mais ma mère dit que nous avons déjà assez d'animaux à la maison.

Your home - short answers

Where do you live?.. Où habitez-vous/habites-tu?
I live in Malvern.. J'habite Malvern

How long have you lived there?........................ Depuis quand y habitez-vous/habites-tu?
I have lived there for thirteen years.................. J'y habite depuis treize ans

Where did you live before coming to Malvern?. Où habitiez-vous/habitais-tu avant de venir à Malvern?
I lived in Reading before coming to Malvern..... J'habitais (à) Reading avant de venir à Malvern

Do you live near school? .... Est-ce que vous habitez/tu habites près du collège?
I live two kilometres from school .... J'habite à deux kilomètres du collège

What sort of a house do you live in?................ Quelle espèce de maison habitez-vous/habites-tu?
I live in a semi-detached house in the suburbs.... J'habite une maison mitoyenne en banlieue

I live in a detached house in a small village .... J'habite un pavillon dans un petit village

I live in a flat in the centre of town.................. J'habite un appartement en centre-ville

Is your house old or modern?........................... Est-ce que votre/ta maison est vieille ou moderne?
My house is (quite) old/modern .... Ma maison est (assez) vieille/récente

How many bedrooms are there in your house?... Combien de chambres y a-t-il dans votre/ta maison?
There are four.. Il y en a quatre
And how many other rooms?............................ Et combien d'autres pièces?
There are four - the dining room, the kitchen,.... Il y en a quatre - la salle à manger, la cuisine,
the living room and the bathroom — la salle de séjour et la salle de bain
Have you a garden? .... Avez-vous/As-tu un jardin?
Yes, I have a big garden .... Oui, j'ai un grand jardin

Have you your own bedroom?.......................... Est-ce que vous avez/tu as une chambre à vous/toi?
Yes, I have my own room................................ Oui, j'ai ma chambre à moi
No, I share with my sister/brother...................... Non, je partage avec mon frère/ma sœur
What furniture do you have in your bedroom?... Qu'est-ce que vous avez/tu as comme meubles dans votre/ta chambre?

There is/are a bed/two beds, a wardrobe, ... Il y a un lit/deux lits, une armoire,
a table with a computer/a television — une table avec un ordinateur/un téléviseur
and two chairs in the bedroom — et deux chaises dans ma chambre

Your home - longer answers

1. Describe your house and garden
Décrivez/Décris votre/ta maison et le jardin

Ma maison est assez grande. C'est une maison moderne en brique. Notre maison est située en banlieue à quatre kilomètres du centre-ville. En face de notre maison il y a un jardin public où nous allons promener le chien tous les jours. Quand j'étais petit(e), j'aimais aller jouer dans le parc. Nous avons une salle de séjour, une salle à manger et la cuisine au rez-de-chaussée. La salle de séjour est assez grande et donne sur le jardin derrière la maison. Dans la salle de séjour il y a *(Insert some details about furniture).* Au premier étage il y a trois chambres à coucher - une pour mes parents, une pour mon frère et une pour moi. Il y a aussi la salle de bains et les toilettes. Le garage est à côté de la maison. Nous avons un grand jardin. Il est derrière la maison. Dans notre jardin il y a des arbres, des fleurs, une pelouse et une serre. En été nous passons beaucoup de temps dans le jardin quand il fait beau. Mon père aime faire du jardinage. Moi, je tonds la pelouse.

2. Describe your room
Décrivez/Décris votre/ta chambre

Ma chambre est au premier étage et donne sur le jardin. J'ai une chambre à moi. Ma chambre est assez grande. Les murs de ma chambre sont bleus et les rideaux sont jaunes. La moquette est grise. Dans ma chambre j'ai un lit, une armoire, une table avec mon ordinateur, un téléviseur et une chaise. J'ai beaucoup de livres, de CDs et de cassettes. J'ai des posters au mur. J'ai beaucoup de jolis posters. J'aime écouter de la musique dans ma chambre. Quand mes ami(e)s viennent me voir, nous allons toujours dans ma chambre pour discuter, écouter de la musique ou regarder la télévision.

Geography - short answers

Where is Malvern?..Où se trouve/Où est Malvern?

Malvern is in Worcestershire, in the centre of England.........Malvern est dans le Worcestershire, au centre de l'Angleterre

How many inhabitants are there? ....Combien d'habitants y a-t-il à Malvern?

There are about 36 000 inhabitants.....................Il y a environ trente-six mille habitants

What is there to see in Malvern? ....Qu'est-ce qu'il y a à voir à Malvern?

There are the hills, the Priory and a park............Il y a les collines, le Prieuré et un parc

Malvern is a Victorian spa-town.........................Malvern est une ville d'eau victorienne

What is there to do in Malvern? ....Qu'est-ce qu'il y a à faire à Malvern?

One can go to the theatre/cinema/ swimming pool/walk on the hills......................On peut aller au théâtre/au cinéma/à la piscine/faire une randonnée sur les collines

Is Malvern an industrial town? ....Est-ce que Malvern est une ville industrielle?

Malvern is a tourist town...................................Malvern est une ville touristique

What industries are there in the town?................Qu'est-ce qu'il y a comme industries dans la ville?

There are some factories in the town - a sports car factory and some light industry..................Il y a quelques usines dans la ville - une usine où on fabrique des voitures de sport et des industries légères

What sports facilities are there? .... Quels équipements sportifs y a-t-il?
There is a swimming pool, a tennis club and...... Il y a une piscine, un club de tennis et
a football club un club de football
Are there any interesting.................................... Est-ce qu'il y a des lieux
places to see around Malvern? d'intérêt près de Malvern?
There are the hills and the city of Worcester...... Il y a les collines et la ville de Worcester

Geography - longer answers

1. Describe your home town and its surroundings
Décrivez/Décris votre ville/ta ville et ses environs

Malvern se trouve dans le Worcestershire au centre de l'Angleterre. Il y a environ trente-six mille habitants. Malvern est une ville d'eau victorienne. C'est une ville touristique. En été des touristes viennent faire de longues randonnées sur les collines quand il fait beau. Il y a beaucoup de collèges et beaucoup d'églises à Malvern. Il y une piscine, un cinéma, un théâtre et un petit musée au centre de la ville. Il y a aussi quelques usines, y compris l'usine où on fabrique des voitures de sport. Il n'y a pas beaucoup de grands magasins au centre-ville. Pour trouver de grands magasins, il faut aller à Worcester, qui se trouve à une quinzaine de kilomètres de Malvern.

Birmingham est la deuxième ville de l'Angleterre. Depuis le dix-neuvième siècle c'est une ville industrielle très importante. Birmingham a un aéroport international, beaucoup de théâtres, des galeries d'art, des salles de concerts. Birmingham a trois universités, et deux équipes de football.
C'est aussi une grande ville avec une culture éclectique. On y voit des gens qui viennent de tous les pays du monde. Au centre de la ville il y a beaucoup de grands magasins où on peut acheter des vêtements, des chaussures, des livres ou des jeux électroniques. Le samedi j'aime bien aller me promener au centre-ville avec mes amis.

2. What do you think of the area in which you live?
Que pensez-vous/penses-tu de votre/ta région?

J'aime bien la ville où j'habite parce qu'il y a beaucoup de choses à faire: il y a des cinémas et beaucoup de magasins au centre-ville. On peut aller voir de bons films, aller danser dans des discothèques ou aller faire le tour des magasins avec des amis. Il y a des autobus toutes les dix minutes. Je peux sortir sans demander à mes parents de m'emmener en voiture. Le weekend, on peut faire du sport - il y a une piscine, une patinoire et un grand centre sportif.

Je n'aime pas la ville où j'habite parce qu'il n'y a rien à faire pour les adolescents. Il y a très peu de magasins. Le cinéma est trop petit et on ne passe jamais les films que nous voulons voir. Il n'y a ni piscine, ni centre sportif. Il n'y a que deux autobus le matin et deux pendant l'après-midi. Si j'ai envie de sortir, je dois aller à pied ou à vélo, ou je dois demander à mes parents de m'emmener en voiture. Ce n'est pas très pratique. Je voudrais voir de grands magasins, un centre sportif et de bons cafés où on peut aller avec des amis.

3. Living in the town or the country - Which do you prefer, and why?
Vivre en ville ou à la campagne - Qu'est-ce que vous préférez/tu préfères? Pourquoi?

J'aime mieux habiter en ville. Il y a toujours des distractions. On peut sortir facilement le soir. *(Insert name of your town)* est un centre culturel; il y des des centres sportifs pour ceux qui aiment les sports. Il y a un centre commercial avec beaucoup de grands magasins et des restaurants. On est loin de la circulation dans les rues piétonnes. Il y des autobus et des trains si on veut se déplacer. C'est très agréable en ville.

J'aime mieux vivre à la campagne. La vie est plus calme et l'air est moins pollué. On peut faire de longues randonnées le long de la rivière. On peut aller à la pêche. Dans un village on connaît tout le monde. Je crois qu'on peut se sentir seul dans une grande ville. La circulation n'est pas un problème. Il y a des inconvénients, bien sûr. Il peut être difficile d'aller en ville si on n'a pas de voiture, et il n'y a ni cinéma, ni maison des jeunes.

Daily routine - short answers

What time do you get up? .... A quelle heure vous levez-vous/te lèves-tu?
I get up at 7.00 .... Je me lève à sept heures
What time do you have breakfast?...................... A quelle heure prenez-vous/prends-tu le petit déjeuner?
I have breakfast at 8.15 .... Je prends le petit déjeuner à huit heures et quart
What do you usually have for breakfast?............ Qu'est-ce que vous prenez/tu prends d'habitude au petit déjeuner?
I usually have toast and cereal for breakfast .... Normalement, je prends une tartine grillée et des céréales
I don't have breakfast... Je ne prends pas de petit déjeuner

What time do you leave home? .... A quelle heure quittez-vous/quittes-tu la maison?
I leave home at 8.30 .... Je quitte la maison à huit heures et demie
What time do you arrive at school? .... A quelle heure arrivez-vous/arrives-tu au collège?
I arrive at school at 8.45..................................... J'arrive au collège à neuf heures moins le quart
How do you get to school?................................. Comment venez-vous/viens-tu au collège?
I come to school by bus/car/bike .... Je viens au collège en autobus/en voiture/à vélo
I walk to school.. Je viens au collège à pied

When do lessons start?...................................... Les cours commencent à quelle heure?
Lessons start at 9.00 .... Les cours commencent à neuf heures
How long are the lessons in your school?........... Les cours dans votre/ton collège durent combien de temps?
They last one hour five minutes .... Ils durent une heure cinq minutes
What do you do during break? .... Que faites-vous/fais-tu pendant la récréation?
I talk to my friends during break .... Je discute avec mes amis pendant la récréation
When is your lunch time?................................... A quelle heure est le déjeuner?
Lunch time is at 12.30....................................... Le déjeuner est à midi et demi

Do you eat in the canteen at midday?................. Mangez-vous/manges-tu à la cantine à midi?
Yes, I eat in the canteen at midday..................... Oui, je mange à la cantine à midi
What do you eat at lunch time?........................... Qu'est-ce que vous mangez/tu manges à midi?
I have sandwiches at midday............................... Je mange des sandwiches à midi

When does school end?...................................... L'école finit à quelle heure?
School ends at 3.40... L'école finit à quatre heures moins vingt
What time do you get home? .... A quelle heure arrivez-vous/arrives-tu à la maison?
I get home at 4.10.. J'arrive chez moi à quatre heures dix
What time do you have your evening meal?....... A quelle heure dînez-vous/dînes-tu?
I have my evening meal at six o' clock .... Je dîne à six heures
What do you eat in the evening?......................... Qu'est-ce que vous mangez/tu manges le soir?
In the evening I have soup, meat, vegetables and ice cream........................ Le soir je prends du potage, de la viande, des légumes et une glace
What is your favourite food? .... Quel est votre/ton plat préféré?
My favourite food is... .... Mon plat préféré est......
Is there anything you don't like?........................ Est-ce qu'il y a quelque chose que vous n'aimez pas/tu n'aimes pas manger?
I don't like carrots .... Je n'aime pas les carottes

What do you do in the evening?......................... Que faites-vous/fais-tu le soir?
I do my homework and listen to music in the evening .... Le soir, je fais mes devoirs et j'écoute de la musique
Do you help your mother/ father prepare the meal?................................. Est-ce que vous aidez/tu aides votre/ ton père/votre/ta mère à préparer le dîner?
No, but I have to do the washing up................... Non, mais je dois faire la vaisselle
Do you watch TV in the evening?....................... Regardez-vous/regardes-tu la télévision le soir?
Yes, I sometimes watch TV in the evening .... Oui, de temps en temps je regarde la télévision le soir
What time do you go to bed? .... A quelle heure vous couchez-vous/te couches-tu?
I go to bed at 10.30... Je me couche à dix heures et demie
What do you do to help in the house? .... Qu'est-ce que vous faites/tu fais pour donner un coup de main à la maison?
I have to tidy my room .... Je dois ranger ma chambre

Saturday jobs

Do you have a Saturday job? .... Est-ce que vous avez/tu as du travail payé le samedi?
Yes, I work on Saturday morning .... Oui, je travaille le samedi matin
Where do you work?... Où travaillez-vous/travailles-tu?
I work in a shop/petrol station............................ Je travaille dans un magasin/une station-service
What is your job? .... Que faites-vous/fais-tu?
I am a sales assistant.. Je suis vendeur/vendeuse
I work on the petrol pumps................................. Je suis pompiste
I do babysitting... Je fais du baby-sitting

I am saving up for... ....Je fais des économies pour...
I prefer to earn money...Je préfère gagner de l'argent
I would like to buy a computer...........................Je voudrais acheter un ordinateur
No, I can't work Saturdays, I am in school.........Non, je ne peux pas travailler le samedi, j'ai des cours

Who does what?

I like walking the dog when it is fine ....J'aime promener le chien quand il fait beau
I hate washing up. It's a boring job ....Je déteste faire la vaisselle. C'est du travail ennuyeux
I prefer ironing. I listen to music while I work ...Je préfère faire du repassage. J'écoute de la musique pendant que je travaille
My brother never washes up. It's not fair!..........Mon frère ne fait jamais la vaisselle. Ce n'est pas juste!
My sister never walks the dog when it's raining.Ma sœur ne promène jamais le chien quand il pleut
I always have to wash the car and mow the lawn..... Je dois toujours laver la voiture et tondre la pelouse

Daily routine - past tense

What did you watch on TV last night? ....Qu'est-ce que vous avez/tu as regardé à la télévision hier soir?
I watched some cartoons ....J'ai regardé des dessins animés
What did you do to help your mother? ....Qu'est-ce que tu as fait pour aider ta mère?
I walked the dog and went shopping ....J'ai promené le chien et j'ai fait des courses
What did you have for breakfast this morning? ..Qu'est-ce que vous avez/tu as pris au petit déjeuner ce matin?
I had toast and tea ....J'ai mangé une tartine grillée et j'ai bu du thé
How did you come to school this morning?........Comment êtes-vous venu(e)/es-tu venu(e) au collège ce matin?
I walked ....Je suis venu(e) à pied

Daily routine - future tense

What are you going to do this evening?..............Qu'est-ce que vous allez/tu vas faire ce soir?
I'll do my home work and watch TV..................Je ferai mes devoirs et je regarderai la télévision
What are you going to watch on TV this evening? .. Qu'est-ce que vous allez/tu vas regarder à la télévision ce soir?
I am going to watch *The Bill* ....Je vais regarder *The Bill*
What will you have for lunch? ....Qu'est-ce que vous allez/tu vas manger à midi?
I will have sandwiches for lunch ....Je vais manger des sandwiches à midi
What will you have this evening?.......................Qu-est-ce que vous allez/tu vas manger ce soir?
We will have chicken, chips and peas.................Nous mangerons du poulet, des frites et des petits pois
What will you be doing at the weekend? ....Qu'est-ce que vous allez/tu vas faire pendant le weekend?
I will go out with my friends..............................Je sortirai avec mes ami(e)s

Daily routine - longer answers

1. Describe a typical school day
Décrivez/Décris une journée typique au collège

Je me lève à sept heures et demie, je prends une douche, puis je m'habille, je me brosse les dents, je me peigne et je descends prendre le petit déjeuner. Je quitte la maison à huit heures et quart et je prends le car pour venir au collège. J'arrive à neuf heures moins dix. Les cours commencent à neuf heures. Nous avons trois cours pendant le matin - deux avant la récréation et un après. A midi, je mange des sandwiches. L'après-midi, nous avons trois cours et l'école finit à quatre heures moins le quart. Je rentre à la maison, je regarde la télévision, je fais mes devoirs et nous mangeons à six heures. Quelquefois je sors avec mes copains/copines. Je me couche à onze heures.

2. What did you do before coming to school this morning?
Qu'est-ce que vous avez/tu as fait avant de venir au collège ce matin?

Je me suis réveillé(e) à sept heures et quart. Je me suis levé(e) à sept heures et demie et j'ai pris une douche. Après, je me suis lavé les dents, je me suis peigné(e), je me suis habillé(e) et je suis descendu(e) à la cuisine pour prendre le petit déjeuner. Mes parents prenaient aussi le petit déjeuner. Mon père est parti à huit heures. J'ai mangé une tartine grillée et j'ai bu du café. J'ai mis mes livres et mes classeurs dans mon sac et j'ai quitté la maison à huit heures dix. Je suis allé(e) à pied à l'arrêt d'autobus. L'autobus est arrivé à neuf heures moins vingt-cinq. Je suis arrivé(e) au collège à neuf heures moins dix.

3. Describe a typical weekend
Décrivez/Décris un week-end typique

Le samedi matin je me lève à sept heures et demie comme d'habitude parce que je travaille au supermarché à la caisse, et je dois être là pour huit heures et demie. Je travaille toute la matinée et je finis à une heure. Je rentre à la maison, je mange un sandwich et après, je me mets en jean pour sortir avec mes ami(e)s. Quelquefois nous allons au match ou nous allons en ville faire du lèche-vitrines. Le soir nous allons au cinéma ou à une boum. Nous rentrons tard. Le dimanche je fais la grasse matinée! Je me lève vers midi, je regarde la télévision ou un film en vidéo et le soir je fais mes devoirs.

Je suis interne, alors normalement je suis à l'école pendant le week-end. Les samedi matin je me lève à sept heures et demie, comme d'habitude, je me lave, je me peigne et je m'habille, puis je vais prendre le petit déjeuner. Le matin nous avons des cours et l'après-midi nous faisons du sport. Le soir nous regardons la télévision, ou nous écoutons de la musique. Quelquefois nous avons la permission de sortir en ville, ou nous retournons passer le week-end à la maison.
Le dimanche nous nous levons plus tard. Le matin on va à l'église, puis on mange. L'après-midi nous avons le droit d'aller en ville. Souvent je vois des ami(e)s d'un autre internat. Le soir on fait du sport, on lit, on joue aux cartes. Ça va, mais ce n'est pas toujours amusant.

School - short answers

How many pupils are there in your school/ in your class? ....Combien d'élèves y a-t-il dans votre/ton collège/ dans votre/ta classe?

There are 1400 pupils in the school/ 27 pupils in my class ....Il y a quatorze cents élèves dans le collège/ vingt-sept élèves dans ma classe

Do you wear school uniform? ....Portez-vous/Portes-tu uniforme scolaire?

Do you like your uniform? ....Aimez-vous/Aimes-tu votre/ton uniforme scolaire?

No, I do not like/Yes, I do like my school uniform.. Non, je déteste/Oui j'aime l'uniforme scolaire

Which subjects do you do? ....Quelles matières étudiez-vous/étudies-tu?

I do English, Maths, French, German, Science, Art, Information Technology, History, Geography and Technology ....Je fais anglais, français, allemand, sciences, dessin, informatique, histoire, géographie et technologie

Which is your favourite subject? ....Quelle est votre/ta matière préférée?

My favourite subject is French ....Ma matière préférée est le français

Why? ....Pourquoi?

I get good marks ....J'ai de bonnes notes

because it's interesting ....parce que c'est intéressant

because the teacher is nice ....parce que le professeur est gentil

Which subject don't you like? ....Quelle matière n'aimez-vous/n'aimes-tu pas?

I don't like Chemistry ....Je n'aime pas la chimie

Which subjects are you good at? ....En quelle matière êtes-vous/es-tu fort(e)?

I am good at English ....Je suis fort(e) en anglais

Which is your worst subject? ....En quelle matière êtes-vous/es-tu faible?

I'm very bad at Physics ....Je suis nul(le) en physique

Are you in a school team? ....Faites-vous/Fais-tu partie d'une équipe de sport au collège?

I play in the school hockey/rugby team ....Je fais partie de l'équipe de hockey/rugby au collège

Which sport do you prefer? ....Quel sport préférez-vous/préfères-tu?

I prefer tennis ....Je préfère le tennis

Are you in the orchestra/choir/band? ....Faites-vous/Fais-tu partie de l'orchestre/de la chorale/de la fanfare au collège?

I am in the choir ....Je chante dans la chorale

What do you like about school life? ....Qu'est-ce que vous trouvez/tu trouves agréable dans la vie du collège?

I like being with my friends and I like sport ....J'aime être avec mes amis et j'aime le sport

What do you dislike about school life? ....Qu'est-ce que vous trouvez/tu trouves désagréable dans la vie du collège?

I don't like some lessons ....Il y a des cours que je n'aime pas

I don't like the uniform ....Je n'aime pas l'uniforme

What irritates you in school? ....Qu'est-ce qui vous/t'agace au collège?

School uniform irritates me ....L'uniforme scolaire m'agace

What bores you in school? ....Qu'est-ce qui vous/t'ennuie au collège?

Some of the school rules bore me ....Certains points du règlement du collège m'ennuient

School - past tense

Have you ever been on an exchange?................. Avez-vous/As-tu déjà fait un échange?
I went on an exchange to France last year.......... L'année dernière j'ai participé à un échange en France
I went to Germany two years ago........................ Il y a deux ans je suis allé(e) en Allemagne
Where did you go?.. Où êtes-vous/es-tu allé(e)?
I went to Nantes/Frankfurt................................. Je suis allé(e) à Nantes/Francfort
How long were you in France/Germany?........... Combien de temps avez-vous /as-tu passé en France/en Allemagne?
We spent ten days there .... Nous y avons passé dix jours
What did you do there?..................................... Qu'est-ce que vous y avez fait?
We visited the city .... Nous avons fait la visite de la ville
We went on some trips .... Nous avons fait des excursions
We went to school with our penfriends.............. Nous sommes allé(e)s à l'école avec nos correspondant(e)s
What did you think of the exchange?................. Comment avez-vous/as-tu trouvé l'échange?
I had a good time... Je me suis bien amusé(e)
I would like to go back there.............................. Je voudrais y retourner
My French/German family were very nice......... Ma famille française/allemande était très gentille
I liked/did not like French/German food .... J'ai aimé/je n'ai pas aimé la cuisine française/allemande
The visit was too long... La visite était trop longue
I missed my family .... Ma famille me manquait
What did you do at school yesterday?................ Qu'est-ce que vous avez/tu as fait hier au collège
I did history, geography and maths .... J'ai fait histoire, géographie et maths
What time did you get to school yesterday?....... A quelle heure êtes-vous/es-tu arrivé(e) au collège hier matin?
I was late .... Je suis arrivé(e) en retard

School and future plans - future tense

What lessons have you got tomorrow?............... Quels cours aurez-vous/auras-tu demain?
I shall have French, English and biology .... J'aurai le français, l'anglais et la biologie
What will you do tomorrow after school?.......... Qu'est-ce que vous ferez/tu feras demain après l'école?
I shall have a rehearsal....................................... J'aurai une répétition

What are you going to do after the exams? .... Qu'est-ce que vous ferez/tu feras après les examens?
I shall work for a few weeks, then go on holidayJe travaillerai pendant quelques semaines et ensuite je partirai en vacances
What will you be doing next year?...................... Qu'est-ce que vous ferez/tu feras l'année prochaine?
Will you be coming back to school? .... Vous reviendrez/Tu reviendras au collège?
I think I shall be coming back............................ Je crois que je reviendrai
That will depend on my exam results................. Cela dépendra de mes résultats!
No, I'm leaving school .... Non, je vais quitter l'école
If I pass my exams, I shall do A Levels .... Si je suis admis(e), je préparerai mes A Levels

Where will you be going? .... Où irez-vous/iras-tu?
I shall go to the 6th form college in Worcester... Je vais aller au lycée à Worcester
Will you be taking A levels? .... Est-ce que vous passerez/tu passeras des A levels?
Yes, I am going to do A levels .... Oui, je vais me présenter aux A levels
What subjects are you planning to do? .... Qu'est-ce que vous ferez/tu feras comme matières?
I would like to do French, Maths and Music....... Je voudrais étudier le français, les math(s) et la musique
No, I prefer to do GNVQ .... Non, je préfère préparer le GNVQ
What will you do when you have left school? .... Qu'est-ce que vous ferez/tu feras après avoir quitté l'école?
Will you be going to university? .... Vous irez/Tu iras à l'université?
I hope to go to university .... J'espère aller à l'université
Will you do an apprenticeship? .... Voulez-vous/Veux-tu faire un apprentissage?
Yes, I am going to do an apprenticeship .... Oui, je serai apprenti(e)
I shall be an apprentice in an engineering works Je serai apprenti(e) dans un atelier de construction
Will you start work/a job? .... Est-ce que vous allez/tu vas commencer à travailler?
Yes, I am going to work in my father's office .... Oui, je vais travailler dans le bureau de mon père
What sort of job would you like to get? .... Quel travail aimeriez-vous/aimerais-tu faire?
I would like to be a primary school teacher because I'd like to work with children .... J'aimerais être institutrice car j'aimerais travailler avec des enfants
I'd like to be a pilot because I'd like to travel..... Je voudrais être pilote car je voudrais voyager
I'd like to be a hairdresser .... Je voudrais être coiffeuse

School - longer answers

1. Tell me about your school and the uniform
Parlez-moi/Parle-moi de votre/ton collège et l'uniforme scolaire

Mon collège est situé à trois kilomètres du centre-ville. C'est un grand bâtiment en brique rouge qui date des années cinquante. Il y a beaucoup de salles de classe, de laboratoires et d'ateliers. Il y a des terrains de football, de rugby et de hockey, un grand gymnase, mais malheureusement, il n'y a pas de piscine. Nous sommes environ 1500 élèves et quatre-vingt professeurs au collège.
Nous sommes obligés de porter l'uniforme scolaire. Les filles portent une jupe bleu marine et un chemisier blanc, un pullover bleu marine, une cravate bleu marine et jaune et des chaussures noires. Les garçons portent un pantalon gris et une chemise blanche avec une cravate bleu marine et jaune et un pullover bleu marine. Il faut dire que je n'aime pas l'uniforme, parce que les couleurs sont tristes, mais c'est pratique.

2. Tell me about your timetable
Parlez-moi/Parle-moi de votre/ton emploi du temps

J'ai trente cours par semaine. Il y a six cours par jour - deux avant la récréation, un après, et trois cours pendant l'après-midi. Les cours commencent à neuf heures et l'école finit à quatre heures. Je fais anglais, maths, français, allemand, sciences, informatique, géographie et technologie.

J'aime bien les sciences et l'informatique et je suis fort(e) en anglais. Je suis moyen(ne) en maths et en allemand, mais je trouve que le français est assez difficile. La technologie m'intéresse mais je suis nul(le) en géographie.
J'aime faire de la gymnastique et jouer au tennis, mais je n'aime pas jouer au hockey en hiver quand il pleut et quand il fait froid.

3. Tell me what you do after school
Parlez-moi/Parle-moi de vos/tes activités extra-scolaires

Je suis sportif/sportive et le dimanche après-midi je joue dans une équipe de football/hockey.
Le mardi je chante dans la chorale et le jeudi je vais à la piscine avec des amis.
Je travaille le samedi. Je suis vendeur/vendeuse dans un grand magasin au centre-ville. Je passe le samedi soir avec des amis. Nous allons au cinéma, ou bien dans une discothèque. Si nous n'avons pas assez d'argent pour sortir, nous passons le soir à écouter de la musique ou à regarder la télévision.

4. Tell me which sport you prefer and give your reasons
Dites-moi/Dis-moi quel sport vous préférez/tu préfères et donnez/donne vos/tes raisons

J'aime bien jouer au tennis. C'est un jeu passionnant. Il est très important pour la santé d'être en bonne forme. Je suis membre d'un club, et je vois des amis chaque fois que j'y vais. Le week-end je vais souvent à d'autres clubs pour des matchs. Je rencontre beaucoup de gens. J'aime regarder le tennis à la télévision, parce qu'on peut apprendre beaucoup de choses quand on regarde jouer les professionnels.

5. Tell me what you plan to do in the future
Dites-moi/Dis moi ce que vous comptez/tu comptes faire à l'avenir

L'année prochaine je voudrais commencer à préparer le bac. Je voudrais étudier les sciences naturelles, parce que je pense que la biologie est très intéressante. Je crois que je pourrais aller à l'université et après avoir fini mes études je voudrais faire de la recherche. La recherche scientifique est très importante pour la médecine et pour les progrès en général.

Free time and hobbies - short answers

What do you do when you have some free time? .... Que faites-vous/fais-tu quand vous avez/tu as du temps libre?

I go out with my friends .... Je sors avec mes amis

What do you do at weekends? .... Que faites-vous/fais-tu le week-end?

I play football/I watch TV .... Je joue au football/Je regarde la télévision

Where do you go with your friends at weekends? .... Où allez-vous/vas-tu avec vos/tes amis le week-end?

I go to the cinema/a disco/ the youth club .... Je vais au cinéma/dans une discothèque/ à la maison des jeunes

Do you like sport? .... Aimez-vous/aimes-tu le sport?

Yes, I like sport very much .... Oui, j'aime beaucoup le sport

Which is your favourite sport? .... Quel est votre/ton sport favori?

I like tennis/rugby .... J'aime le tennis /le rugby

Where/When do you play? .... Où/Quand jouez-vous/joues-tu?
I play at school on Saturday afternoon .... Je joue au collège le samedi après-midi
Are you a member of a club? .... Est-ce que vous êtes/tu es membre d'un club?
Yes, I belong to a tennis club .... Oui, je suis membre d'un club de tennis
Are you interested in music? .... Est-ce que vous vous intéressez/tu t'intéresses à la musique?
Yes, music is very important to me .... Oui, la musique m'est très importante
What type of music do you like? .... Quel genre de musique préférez-vous/préfères-tu?
I prefer classical music .... Je préfère la musique classique
Have you a favourite group/singer? .... Avez-vous/As-tu un groupe/chanteur préféré/une chanteuse préférée?
No, I haven't a favourite group/singer .... Non, je n'ai pas de groupe/chanteur préféré/ chanteuse préférée
Do you play an instrument? .... Jouez-vous/Joues-tu d'un instrument?
Yes, I play the violin/the clarinet .... Oui, je joue du violon/de la clarinette
How long have you been playing the clarinet? ... Depuis quand jouez-vous/joues-tu de la clarinette?
I have been playing the clarinet for four years .... Je joue de la clarinette depuis quatre ans
Do you watch much TV at weekends? .... Est-ce que vous regardez/tu regardes beaucoup de télévision le week-end?
No, I don't watch TV very often .... Non, je ne regarde pas souvent la télé
It depends .... Ça dépend
Which type of programme do you like? .... Quel genre d'émission aimez-vous/ aimes-tu?
Which type of programme do you not like? .... Quel genre d'émission n'aimez-vous pas/n'aimes-tu pas?
I like documentaries/cartoons .... J'aime les documentaires/les dessins animés
I hate canned laughter .... J'ai horreur des rires en boîte
I don't like the news .... Je n'aime pas les informations
Do you like going to the cinema? .... Aimez-vous/Aimes-tu aller au cinéma?
Yes I like going to the cinema sometimes .... Oui, j'aime aller au cinéma de temps en temps
How often do you go to the cinema? .... Combien de fois par an allez-vous/vas-tu au cinéma?
Two or three times a year .... Deux ou trois fois par an
Which type of film do you like best? .... Quel genre de film préférez-vous/préfères-tu?
I like science fiction films .... J'aime les films de science fiction
Do you like reading? .... Aimez-vous/Aimes-tu la lecture?
Yes, I like reading .... Oui, j'aime bien lire
What type of books do you like? .... Quel genre de livre aimez-vous/aimes-tu?
I like detective stories .... J'aime les romans policiers
Do you collect tapes/CDs/stamps? .... Faites-vous/Fais-tu une collection de cassettes/de disques compacts/de timbres?
Yes, I collect tapes .... Oui, je fais une collection de cassettes
Have you a computer? .... Est-ce que vous avez/tu as un ordinateur?
Yes, I have a computer at home .... Oui, j'ai un ordinateur à la maison
Do you play computer games? .... Jouez-vous/Joues-tu des jeux électroniques?
Yes, I have a lot of computer games .... Oui, j'ai beaucoup de jeux électroniques

Are you interested in fashion?............................ La mode vous/t' intéresse?
Yes, I am very interested in fashion.................. Oui, ça m'intéresse beaucoup
Do you like window shopping?.......................... Aimez-vous/Aimes-tu faire du lèche-vitrines?
Yes, I like window shopping with my friends.... Oui, j'aime faire du lèche-vitrines avec mes ami(e)s
Which shops do you like looking round? .... Dans quels magasins aimez-vous/aimes-tu aller jeter un coup d'oeil?
I like looking around record/book shops .... J'aime les magasins de disques/les librairies
Are you going out this evening? .... Sortez-vous/Sors-tu ce soir?
No, my mother won't let me go out in the week Non, ma mère ne me permet pas de sortir pendant la semaine

Free time and hobbies - past tense

What did you do last Saturday? .... Qu-est-ce vous avez/tu as fait samedi dernier?
I went to the cinema .... Je suis allé(e) au cinéma
What did you think of the film?......................... Comment avez-vous/as-tu trouvé le film?
I thought it was good .... Je l'ai trouvé bon
The actors were superb .... Les acteurs étaient superbes
The film was too long... Le film était trop long
The actors were poor .... Les acteurs n'étaient pas bons
Where did you see it? .... Où l'avez-vous/l'as-tu vu?
I went to a cinema in Birmingham...................... Je suis allé(e) à un cinéma à Birmingham
When did you see it? .... Quand l'avez-vous/l'as-tu vu?
I saw it a month ago... Je l'ai vu il y a un mois
Is it out on video?... Il est sorti en vidéo?
What did you do last night? .... Qu'est-ce que vous avez/tu as fait hier soir?
I stayed at home.. Je suis resté(e) à la maison
What did you see on TV last night? .... Qu'est-ce que vous avez/tu as vu à la télé hier soir?
I did not watch TV.. Je n'ai pas regardé la télé
What did you buy last Saturday?........................ Qu'est-ce que vous avez/tu as acheté samedi dernier?
I bought a birthday present for my father........... J'ai acheté un cadeau d'anniversaire pour mon père

Free time and hobbies - future tense

What are you going to do at the weekend?......... Qu'est-ce que vous allez/tu vas faire ce weekend?
I am going to see my cousins in Paris .... Je vais voir mes cousins à Paris
I am going to play rugby.................................... Je vais jouer au rugby
I shall be working at the filling station............... Je travaillerai à la station-service

Free time and hobbies - longer answers

1. Tell me what sort of film you like
Dites-moi/Dis-moi quel genre de film vous préférez/tu préfères

J'aime les films d'épouvante parce que j'aime voir les effets spéciaux et les monstres qu'on fabrique. Si je suis avec des amis, je trouve amusant de les regarder pendant ces films pour voir s'ils ont peur. J'aime aussi voir des films de science-fiction, parce que j'adore les fusées et les voyages dans l'espace.

2. Tell me what type of programme you like watching on television
Dites-moi/Dis moi quel genre d'émission vous aimez/tu aimes regarder à la télévision

J'aime regarder les émissions d'histoire naturelle, car je trouve les animaux sauvages et les oiseaux passionnants - surtout les espaces menacées. J'adore les voir dans leur habitat, mais je n'aime pas les voir dans les zoos. J'aime voir les fleurs exotiques - les couleurs sont tellement belles. La télévision nous permet de voir toutes ces choses merveilleuses.

3. What do you think of television adverts?
Que penses-tu de la publicité à la télevision?

La publicité à la télévision m'agace. Quelquefois je la trouve amusante, mais normalement je la trouve stupide. C'est une perte de temps. Il y a trop de publicité qui coupe les émissions et on ne peut pas regarder un film sans interruptions. Je déteste la publicité pour les voitures. Souvent je vais me faire une tasse de café!

4. What do you do to get fit?
Qu'est-ce que vous faites/tu fais pour avoir la forme?

Je pense que le sport est très important pour la santé. Si on veut avoir la forme, il faut faire du sport. On peut choisir un sport individuel - par exemple la natation, le jogging. On peut s'inscrire dans un club sportif, si on veut faire du sport avec d'autre personnes. Les sports d'équipe sont bons pour la santé et aussi on s'amuse avec des copains.
Je ne fume pas et je fais attention à ce que je mange. Je mange des légumes, des pâtes, du riz, des fruits, je bois des jus de fruits et du lait. Je choisis du poulet et je ne mange ni saucisses, ni hamburgers, ni frites. Je ne mange pas de chips, je ne mange pas de pâtisserie. Ce n'est pas toujours très agréable, car j'adore le chocolat et les frites!

Shopping - short answers

Do you like going shopping? .... Aimez-vous/aimes-tu faire des courses?
Yes, I like/No, I don't like shopping.................. Oui, j'aime/Non, je n'aime pas faire des courses
I prefer buying clothes... Je préfère acheter des vêtements
I don't like going to the supermarket .... Je n'aime pas aller au supermarché
When do you go shopping?................................ Quand allez-vous/vas-tu faire des courses?
I go shopping Saturday afternoons...................... Je vais faire des courses le samedi après-midi
With whom do you go shopping? .... Avec qui allez-vous/vas-tu faire des courses?
I like going with my friends............................... J'aime aller avec mes ami(e)s
They tell me what they think.............................. Ils me disent ce qu'ils pensent
I don't like going with my mother .... Je n'aime pas aller avec ma mère

I don't like the clothes she likes .... Je n'aime pas les vêtements qu'elle aime
I like buying clothes on my own .... Je préfère acheter les vêtements quand je suis seul(e)
Do you like buying presents? .... Aimez-vous/Aimes-tu acheter des cadeaux?
I like buying presents for people my own age .... J'aime acheter des cadeaux pour des gens de mon âge
I never know what to give my grandparents .... Je ne sais jamais ce que je peux offrir à mes grands-parents

Shopping - longer answers

1. What did you do last Saturday?
Qu'est-ce que vous avez fait/tu as fait samedi dernier?

Samedi dernier je suis allé(e) en centre-ville. J'étais avec des ami(e)s. Nous avons décidé d'aller acheter des vêtements. Moi, j'ai acheté un maillot de bain et des sandales. Mon ami(e) Chris voulait acheter un jean. Nous avons eu pas mal de problèmes! La couleur n'était pas bonne. Il/Elle voulait cette marque-ci et non pas celle-là! Enfin, il/elle a trouvé ce qu'il/elle voulait, et nous sommes allé(e)s manger. *(Insert what you ate and drank and where you went for the meal)* Nous sommes retourné(e)s à la maison à trois heures et demie.

2. What clothes would you buy if you had the choice?
Quels vêtements achèteriez-vous/achèterais-tu si vous aviez/tu avais le choix?

J'achèterais des vêtements pour toutes les occasions - des robes, des jupes, des chemisiers, des pullovers et beaucoup de chaussures. J'aime porter un jean et un pullover quand je suis à la maison, mais le soir j'aime porter une jolie robe ou une jupe quand je sors avec mes ami(e)s. Je n'aime pas porter trop souvent une robe ou une jupe. Le bleu est ma couleur préférée.

Holidays - short answers

Where do you go on holiday? .... Où allez-vous/vas-tu passer vos/tes vacances?
I go to the seaside/to visit my grandparents .... Je vais au bord de la mer/voir mes grands-parents
Do you spend your holidays in England? .... Passez-vous/Passes-tu les vacances en Angleterre?
Yes, I spend a fortnight in Devon .... Oui, je passe une quinzaine de jours dans le Devon
No, I go to France/Greece .... Non, je pars en France/Grèce
Do you go with your family or with friends?...... Est-ce que vous partez/tu pars en famille ou avec des amis?
I usually go with my family .... Normalement, je pars avec ma famille
This year I am going with my friends .... Cette année je pars avec des ami(e)s
Do you go camping? .... Faites-vous/Fais-tu du camping?
Sometimes we go camping in France .... Oui, quelquefois nous faisons du camping en France
What do you like doing on holiday? .... Qu'est-ce que vous aimez/tu aimes faire en vacances?
I like walking and swimming .... J'aime me promener et nager
What sort of souvenirs do you buy? .... Qu'est-ce que vous achetez/tu achètes comme souvenirs?
I buy postcards, pottery, a T-shirt .... J'achète des cartes-postales, de la poterie, un T-shirt

Holidays - past tense:

Where did you go on holiday last summer?........Où avez-vous/as-tu passé les vacances l'année dernière?

Last year we went to Greece ....L'année dernière, nous sommes allés en Grèce

How did you get there?.....................................Comment y êtes-vous allés?

We flew ....En avion

How long did you stay?....................................Combien de temps y êtes-vous restés?

We stayed a fortnight/three weeks......................On y a passé une quinzaine de jours /trois semaines

What was the weather like?...............................Quel temps a-t-il fait?

It was hot and sunny ....Il a fait chaud. Il a fait du soleil

Did you go swimming/spend time on the beach? Est-ce que vous avez nagé/passé du temps à la plage?

Yes, we went to the beach every day.................Oui, nous sommes allés à la plage tous les jours

Did you visit any interesting places? ....Avez-vous visité des lieux intéressants?

Yes, we went to Athens.....................................Oui, nous sommes allés à Athènes.

It was very interesting......................................C'était très intéressant

What did you do in the evening? ....Qu'est-ce que vous avez fait le soir?

In the evening we went to a restaurant...............Le soir nous sommes allés dans un restaurant

We walked around the town..............................Nous avons fait un tour de la ville

We went to a café/night club.............................Nous sommes allés au café/dans une boîte

Would you like to go there again?......................Est-ce que vous voudriez/tu voudrais y retourner?

Yes, I would very much like to go there again....Oui, j'aimerais bien y retourner

Holidays - future tense:

Are you going away at Easter?..........................Partez-vous/Pars-tu en vacances à Pâques?

No, I shall spend the Easter holidays at home.....Non, je vais passer les vacances de Pâques à la maison

Where do you plan to go this summer? ....Où comptez-vous/comptes-tu aller cet été?

I don't know ....Je ne sais pas

We have not yet decided ....On n'a pas encore décidé

We are going to the USA ....Nous allons aux États-Unis

Will you be going with your family/friends?......Irez-vous/Iras-tu avec votre/ta famille/vos/tes amis?

I shall go there with my parents ....J'irai avec mes parents

Will you go camping?...Est-ce que vous ferez du camping?

Will you be staying in a hotel?..........................Est-ce que vous descendrez dans un hôtel?

Will you rent a flat? ....Louerez-vous un appartement?

We shall stay with my uncle and aunt ....Nous logerons chez mon oncle et ma tante

How will you get there?....................................Comment ferez-vous pour y aller?

We shall fly to New York ....Nous prendrons l'avion pour aller à New York

How long will you be staying?..........................Combien de temps comptez-vous y rester?

We are planning to stay a month ....Nous comptons/On compte y passer un mois

What are you going to do there?........................Qu'est-ce que vous allez faire là-bas?

We hope to visit Washington ....Nous espérons visiter Washington

Holidays - longer answers

1 Tell me what you did during last summer holidays
Raconte-moi ce que tu as fait pendant les grandes vacances l'année dernière

L'année dernière j'ai travaillé pendant un mois dans le bureau de mon père. Je voulais gagner de l'argent pour mes vacances en Ecosse. J'ai travaillé du dix-huit juillet, jusqu'au seize août. Je commençais le travail à neuf heures du matin et je finissais à cinq heures et demie. Je m'occupais du courrier, je répondais au téléphone, je faisais du classement.
Le dix-sept août je suis parti(e) avec mes amis en Écosse. Nous avons fait du camping. Nous avons passé une quinzaine de jours près de Callander. Il a fait beau et nous avons pu visiter la ville et faire de longues randonnées à la montagne. J'aime bien me promener à la montagne quand il fait beau. Nous étions six personnes, trois filles et trois garçons. Nous nous sommes bien amusés. Je voudrais y retourner un de ces jours.

L'année dernière je suis allée avec ma famille passer trois semaines en Italie. Nous avons pris l'avion pour aller à Rome et nous avons loué une voiture pour faire des excursions. Nous avons passé quelques jours à Rome et nous sommes allés à Venise et à Florence. Nous avons visité des musées, des églises et les beaux magasins. Ensuite nous avons passé dix jours au bord de la mer. Il a fait un temps superbe. J'aime beaucoup les repas italiens. J'ai appris quelques mots d'italien.

2 How will you be spending the Easter holidays?
Comment allez-vous/vas-tu passer les vacances de Pâques?

Nous aurons deux semaines de vacances à Pâques. Je resterai à la maison. Mon/Ma correspondant(e) français(e) va passer une semaine chez nous. S'il fait beau, nous ferons des excursions en voiture et à vélo pour voir la région. Il/Elle est sportif/sportive. Nous irons à la piscine et à la patinoire. La deuxième semaine, nous irons voir mon cousin qui habite au Pays de Galles. Il habite Cardiff et j'aime aller à Cardiff. C'est une grande ville intéressante où il y a toujours beaucoup de choses à faire.

Special occasions - short answers

When is your birthday?........ Quelle est la date de votre/ton anniversaire?
My birthday is 21st October........ Mon anniversaire est le vingt-et-un octobre
What do you do on your birthday?........ Que faites-vous/fais-tu le jour de votre/ton anniversaire?
My family give me presents and cards. .... Ma famille m'offre des cadeaux et des cartes
What do you do at Christmas? .... Que faites-vous/fais-tu à Noël?
We give each other presents, we go to church.... Nous nous offrons des cadeaux, nous allons à l'église
What other festivals do you celebrate?........ Quelles autres fêtes célébrez-vous/célèbres-tu?
We celebrate Passover/Eid/Divali .... Nous célébrons la Pâque juive/Eid/Divali
When is Passover/Eid/Divali?........ C'est quand la Pâque juive/Eid/Divali?
Do you give presents?........ Est-ce que vous vous offrez des cadeaux?
Do you spend the day with your family?........ Passez-vous/Passes-tu la journée avec votre/ ta famille?
Yes, family life is very important .... Oui, la vie de famille est très importante.

Special occasions - past tense

What did you have for Christmas? ....Qu'est-ce que tu as reçu comme cadeau de Noël?
My grandparents gave me some clothes ....Mes grands-parents m'ont offert des vêtements
My parents gave me a mountain bike/a computer.... Mes parents m'ont offert un VTT/un ordinateur
What did you give your parents for Christmas?..Qu'est-ce que vous avez/tu as offert à vos/tes parents à Noël?
I gave my father a bottle of wine........................J'ai offert une bouteille de vin à mon père
I gave my mother a book...................................J'ai offert un livre à ma mère
What did you give your brother/sister?..............Qu'est-ce que vous avez/tu as offert à votre/ ton frère/votre/ta sœur?
I gave my brother a tape....................................J'ai offert une cassette à mon frère
I gave my sister a scarf.......................................J'ai offert une écharpe à ma sœur
What did you do on your birthday?....................Qu'est-ce que vous avez/tu as fait le jour de votre/ton anniversaire?
I went out for a meal with my family ....Je suis allé(e) au restaurant avec ma famille
What presents did you get? ....Qu'est-ce que vous avez/tu as reçu comme cadeau?
My parents gave me ... .Mes parents m'ont offert...

Weather - short answers

What is/will be/was the weather like?................Quel temps fait-il/fera-t-il/faisait-il?
It is/will be/was fine...Il fait/fera/a fait beau
It is/will be/was hot...Il fait/fera/a fait chaud
It is/will be/was cold ....Il fait/fera/a fait froid
The weather is/will be/was bad ....Il fait/fera/a fait mauvais
It is/will be/was 30 degrees ....Il fait/fera/a fait 30 degrés
It is/will be/was foggy...Il fait/fera/a fait du brouilllard
It is/will be/was sunny...Il fait/fera/a fait du soleil
It is/will be/was windy ....Il fait/fera/a fait du vent
It is/will be/was cloudy ....Il y a/aura/avait des nuages
It is/will be/was stormy ....Il y a/aura/avait de l'orage
It is/will be/was freezing ....Il gèle/va geler/gelait
It is/will be/was snowing....................................Il neige/neigera/neigeait
It is/will be/was raining......................................Il pleut/pleuvra/pleuvait

Weather - longer answers

What season do you like best?
Quelle saison préférez-vous/préfères-tu?

Je préfère l'été parce que j'aime le soleil. J'aime me promener. J'aime aller au bord de la mer. Je ne peux pas supporteur la froideur de l'hiver! Je déteste le brouillard et la pluie.

Je préfère l'hiver parce que j'aime faire du ski. J'adore la neige et les montagnes. En été je n'aime pas la chaleur.

Making comparisons between France and England

You may be asked to compare and contrast aspects of life in France and England. Here are some points you may find useful.

School life

You start school earlier in the morning in France..... L'école commence plus tôt le matin en France
You do not finish until 5.00 pm .... Vous ne finissez qu'à cinq heures de l'après-midi
The school day is very long in France................ La journée scolaire est très longue en France
We have to wear school uniform......................... Nous sommes obligés de porter l'uniforme scolaire
French pupils get a lot of homework.................. Les élèves français ont beaucoup de devoirs
French pupils sometimes repeat a year............... Quelquefois les élèves redoublent une année
The summer holidays are longer in France......... Les grandes vacances sont plus longues en France
Many French children spend the summer holidays at camp .... Beaucoup d'enfants français passent les grandes vacances dans des colonies de vacances

Daily life

People eat later in the evening in France............ On mange plus tard le soir en France
I prefer to eat earlier in the evening .... Je préfère manger moins tard le soir
I don't like sitting for a long time at table.......... Je n'aime pas rester longtemps à table
The weather is warmer in France .... Il fait plus chaud en France
More people smoke in France .... Il y a plus de fumeurs en France
I don't like the TV programmes......................... Je n'aime pas les émissions à la télé
Films start later in the evening in French cinemas.... Les séances commencent plus tard au cinéma en France

Travel

Public transport is better in France..................... Les transports en commun sont meilleurs en France
You have to pay to go on the motorways in France.. Il faut payer pour rouler sur les autoroutes en France
There are more lorries on the motorways in UK ..... Il y a plus de camions sur les autoroutes au Royaume-Uni

SECTION 3: PRESENTATIONS

If you have to do a presentation for your GCSE board's examination, you could use some of the themes in the conversation section. However, you may wish to choose something different. Here are a few possibilities:

Le week-end

Je voudrais parler du weekend. J'aime bien le week-end parce que j'ai le temps de faire ce que je veux. Pendant la semaine j'ai beaucoup de devoirs donc, je n'ai pas le temps de sortir. Quand j'ai du temps libre, j'aime aller me promener avec des ami(e)s. Nous allons en ville, mais aussi nous allons faire des promenades sur les collines quand il fait beau. Si je reste à la maison, j'aime écouter de la musique *(Here you can talk about your favourite type of music),* ou je lis des romans. *(Here you must be prepared to talk briefly about a book or type of novel you like)*
Le samedi matin je travaille à une école de danse. Il y a beaucoup de gens qui viennent pour des leçons de ballet, de disco ou de swing. *(You could describe one or two of them)*
Le samedi soir je vais avec des ami(e)s à Worcester. Nous allons danser. Quelequefois je porte une mini-jupe rouge et un chemisier noir, quelquefois je me mets en pantalon marron avec un T-shirt orange.
Samedi dernier nous sommes allés à *(town name).* J'ai porté *(Say what you wore)* Nous avons mangé des frites, nous avons bu du citron pressé et nous sommes allé(e)s dans une boîte. Nous avons dansé jusqu'à minuit.
La semaine prochaine j'irai avec des ami(e)s voir le film *(Put in the title).* C'est un film *(Put in what type and say what it is about)* Nous partirons pendant l'après-midi et nous arriverons à *(town)* à six heures. La séance commence à sept heures et demie et le film dure deux heures. Après le film nous prendrons l'autobus pour rentrer à la maison.

Le temps libre

J'aime bien bricoler quand j'ai du temps libre. J'aimais toujours les cours quand je travaillais sur bois ou sur métal en cinquième et quatrième. On nous a appris comment utiliser des outils pour construire des modèles ou des objets qu'on pouvait offrir. J'ai construit un petit bateau que j'ai offert à mon frère. Il en était très content. Actuellement je fais une collection de guerriers fantaisie en métal.
Je les achète, je les colle et finalement je les peins. C'est un travail long. Il me faut de la patience.
Ma sœur n'aime pas bricoler. Elle dit que c'est une perte de temps.
J'aime faire du sport. Le samedi matin je fais de l'entrainement avec le club de (*Insert sport*). Normalement il y a un match le dimanche après-midi. Je préfère gagner mais ça n'arrive pas souvent, malheureusement.
J'apprends le trombone depuis trois ans. Je joue dans la fanfare du collège. On joue beaucoup de musique moderne. C'est chouette.

L'équitation

J'aime bien faire de l'équitation. J'ai une amie qui habite une ferme près de chez moi, et elle a deux chevaux. Pendant l'été nous faisons du cheval tous les jours à quatre heures quand nous finissons les cours.

Les chevaux s'appellent Benji et Fleur. Benji a dix ans, il saute bien et il a gagné beaucoup de prix. Fleur a vingt ans et elle est assez grosse parce qu'elle mange trop d'herbe au printemps mais elle est très gentille.

Quand on s'occupe des chevaux, il faut travailler dur. Nous devons les panser, leur donner à manger et nettoyer l'écurie. La paille, la nourriture et la selle ne sont pas légères, donc on doit être assez fort pour faire ce travail.

Pendant le printemps Fleur souffrait. Elle toussait et j'ai dû lui donner du sirop. Elle n'a pas voulu l'avaler. Elle m'a fait pitié.

L'année prochaine je voudrais acheter un cheval moi-même. Ce ne sera certainement pas un cheval pur-sang. Ce sera un cheval sûr, pas très jeune, mais l'important est qu'il soit en bonne santé et qu'il ait de bons sabots noirs. C'est très important parce que ça coûte cher quand on paie le véterinaire ou le maréchal-ferrant.

Le football

J'adore jouer au football. Depuis quatre ans je joue dans l'équipe du collège. Je m'entraîne tous les samedis. Notre entraîneur était joueur professionnel et il nous a beaucoup appris. Je suis ailier droit. L'équipe du collège a joué dans la finale du tournoi des collèges mais malheureusement nous avons perdu.

Nous sommes allés jouer à Wembley. C'était une journée merveilleuse.

Je suis supporteur de *(Here you can put in the team of your choice!)* C'est une équipe en première division. Ils portent *(Here you can put in the colours of your team's strip)*. Je regarde beaucoup de matchs à la télévision parce que nous avons une antenne parabolique.

Je voudrais devenir joueur professionnel. Si on réussit on gagne beaucoup d'argent et on peut aller jouer dans d'autres pays du monde.

Mon anniversaire

Mon anniversaire est le vingt-quatre juillet. C'est le début des grandes vacances. J'aime faire une excursion s'il fait beau. L'année dernière c'était samedi, donc j'ai décidé d'aller passer le jour au bord de la mer avec ma famille et des amis. Nous sommes partis à neuf heures. Nous étions dix personnes. Mon père et mon frère conduisaient les deux voitures. Ma mère et moi avons préparé le pique-nique - du jambon, des œufs durs, des tomates, de la salade, des framboises et des jus de fruits et de l'orangina® à boire. Il faisait beau, le soleil brillait. Après une heure nous sommes arrivés au bord de la mer. Nous sommes allés sur la plage. Nous avons nagé, nous avons joué à volleyball. A midi nous avons mangé. Vers deux heures nous avons fait une promenade le long des falaises. Nous nous sommes arrêtés à un café où nous avons acheté des glaces. Nous sommes retournés à la maison très tard le soir. C'était une journée agréable.

Mon échange scolaire

Il y a deux ans j'ai fait un échange scolaire. Je suis allé(e) passer deux semaines chez mon/ma correspondant(e) qui habite un petit village près de Nantes au bord de la Loire. C'est une région de vignobles. C'est une région où il y a parfois des inondations en hiver.
Mon/ma correspondant(e) s'appelle... *(Here you can give the name and age of your penfriend)*
Il/Elle est *(Give a description of him/her)*
Il/Elle a *(Here you can give details of brothers and sisters)*
La maison est assez grande. Il y a quatre chambres, une salle à manger, une salle de séjour, la salle de bain et la cuisine. Le jardin est très grand et descend jusqu'aux bords de la rivière. Il y a beaucoup de fleurs et d'arbres dans le jardin.
Le village où ils habitent est petit. Il y une grande église, la poste, la boulangerie, et un supermarché.
Pendant ma visite, je suis allé(e) à Nantes. J'ai vu la cathédrale, le château et les magasins. Nous avons fait une excursion à La Baule. *(Add a few sentences here about a day at the seaside. Say what you ate and drank; say what the weather was like)*

Le jour du mariage de ma sœur

Le mois d'août était très intéressant pour ma famille l'année dernière. Ma sœur s'est mariée le douze août. Elle avait décidé de se marier en août parce qu'elle est institutrice. Son fiancé Robert est agent de police. Depuis des mois elle parlait avec ma mère de robes, de cadeaux, de fleurs et de photos.
Le jour du mariage, il a fait beau. Le soleil a brillé et il a fait chaud.
Le mariage civil a eu lieu à une heure et demie à la mairie et à deux heures et demie il y avait la bénédiction à l'église. Après cela c'était l'heure des photos! Ça dure longtemps, les photos pour un mariage!
La robe de ma sœur était très belle et elle portait de jolies fleurs. Les demoiselles d'honneur portaient des robes bleues. J'aimais la robe que je portais. Le bleu est ma couleur préférée.
Après les photos, nous sommes allés prendre le repas de noces. J'ai beaucoup mangé - il y avait du saumon, de la dinde et des salades de toutes sortes. Le soir nous avons dansé jusqu'à minuit et demi.

Sauvegarder l'environnement

L'environnement est menacé. Nous devons tous faire attention. Il y trop de pollution dans le monde. Nous gaspillons les ressources naturelles. Le mode de vie en Europe et aux Etats-Unis utilise beaucoup d'énergie. Nos industries, nos raffineries, nos centres nucléaires empoisonnent l'environnement. Tout le monde doit essayer de faire de son mieux pour changer la situation, par exemple:
Mon père dit que quand nous allons en ville nous devons aller à pied ou à vélo au lieu de sortir la voiture et si nous allons à Worcester nous devrions utiliser les transports en commun plutôt que la voiture.
Ma mère nous dit de mettre un pullover au lieu d'allumer le chauffage quand il fait un peu froid
Nous recyclons les boîtes, les bouteilles et les journaux.
Aussi, on peut choisir les produits écologiques pour faire la lessive et la vaisselle.

SECTION 4: IMPROVING YOUR LANGUAGE

When?

after .... après
afterwards, then .... ensuite
all day long .... toute la journée
ali morning .... toute la matinée
always .... toujours
at the end of .... au bout de
at the weekend .... le weekend
at last .... enfin
before .... avant
during the morning/weekend .... pendant la matinée/le week-end
early .... tôt
late (for an appointment) .... en retard
late (not early) .... tard
every day .... chaque jour/tous les jours
every Monday morning .... le lundi matin
every two days .... tous les deux jours
every week .... chaque semaine/toutes les semaines
every three weeks .... toutes les trois semaines
from time to time, occasionally .... de temps en temps
in the morning/afternoon/evening .... le matin/l'après-midi/le soir
never .... ne...jamais
now .... maintenant
often .... souvent
on Saturday morning .... samedi matin
rarely, seldom .... rarement
sometimes .... quelquefois
soon .... bientôt
then .... puis/alors
this morning .... ce matin
this summer/winter .... cet été/cet hiver
today .... aujourd'hui
usually .... d'habitude

Phrases for telling stories in the past

a few weeks ago .... il y a quelques semaines
After finishing his/her homework... .... Après avoir fini ses devoirs...
an hour ago .... il y a une heure
a quarter of an hour ago .... il y a un quart d'heure
a short time later .... peu de temps après

As he/she was leaving the house........................Comme il/elle quittait la maison...
as soon as possible ....aussitôt que possible
at five o'clock ....a cinq heures
at that moment ....a ce moment-là
at the beginning of the holidays..........................au début des vacances
at the end of the day ....a la fin de la journée/en fin de journée
a week/month/two years ago ....il y a une semaine/un mois/deux ans
during his stay in hospital..................................pendant son séjour à l'hôpital..
during the summer holidays ....pendant les grandes vacances
for a long time ....longtemps
for three hours...pendant trois heures
from time to time ....de temps en temps
half an hour later ....une demi-heure plus tard
He had got up early because.... ....Il s'était levé de bonne heure parce que...
He appeared suddenly ....Soudain il est apparu
I saw him just now ....Je l'ai vu tout à l'heure
immediately after the picnic... ....tout de suite après le pique-nique....
in spring..au printemps
in summer/autumn/winter ....en été/en automne/en hiver
It was December 1st... ....C'était le premier décembre...
It was Christmas Eve..C'était la veille de Noël
It was during the Easter holidays........................C'était pendant les vacances de Pâques...
last night ....hier soir
last Saturday ....samedi dernier
last week/year ....la semaine dernière/l'année dernière
last winter ....l'hiver dernier
later then usual..plus tard que d'habitude
On leaving the shop..... ....En quittant le magasin...
She left at once ....Elle est partie tout de suite
some time later/after some time.........................après un certain temps
that morning/that afternoon/that evening............ce matin-là/cet après-midi-là/ce soir-là
the day before yesterday....................................avant-hier
the next day...le lendemain
two days later..deux jours plus tard
towards the end of the week ....vers la fin de la semaine
towards the end of August..................................vers la fin août
yesterday/the day before yesterday ....hier/avant-hier
yesterday morning/afternoon/evening................hier matin/hier après-midi/hier soir

Phrases for telling stories in the future

earlier/later than usual..plus tôt/tard que d'habitude
from time to time..de temps en temps
from this time on..désormais/dès maintenant
immediately/at once..immédiatement/tout de suite
in half an hour's time..dans une demi-heure
in an hour and a half..dans une heure et demie
in three days' time..dans trois jours
in a week's time..d'ici huit jours
later on today..en fin de journée
next week/next year..la semaine prochaine/l'année prochaine
next winter..L'hiver prochain
next Sunday..dimanche prochain
She will be arriving about midday..Elle arrivera vers midi
The train will be arriving on time..Le train arrivera à l'heure
this time next week..dans huit jours/d'ici huit jours
tomorrow/the day after tomorrow..demain/après-demain
tomorrow morning/afternoon/evening..demain matin/demain après-midi/demain soir
two hours from now..dans deux heures
towards seven o'clock this evening..vers sept heures ce soir

How did you do that?

also..aussi
at top speed..à toute vitesse
as quickly as possible..aussi vite que possible
by chance..par hasard
carefully..prudemment/soigneusement
for the first/last time..pour la première/dernière fois
for the second time..pour la deuxième fois
gladly..volontiers
gradually..petit à petit/peu à peu
happily/fortunately..heureusement
in a good/bad temper..de bonne/mauvaise humeur
in vain..en vain
instead of going to school..au lieu d'aller au collège...
I pretended to read my book..J'ai fait semblant de lire mon livre
I went in on tip-toe..Je suis entré(e) sur les pointes des pieds
quickly..rapidement/vite
politely..poliment
slowly..lentement
suddenly..soudain
thus..de cette façon/ainsi

to my great surprise.. à ma grande surprise
unfortunately.. malheureusement
when everything was ready... .... quand tout était prêt...
without hesitation... sans hésiter
without speaking .... sans rien dire
without saying a word .... sans mot dire
with astonishment, I... .... tout(e) étonné(e), je...
without wasting any time... .... sans perdre de temps

Where?

above .... au-dessus de
against/on the wall .... contre le mur
at the crossroads/traffic lights............................ au carrefour/aux feux
at the seaside .... au bord de la mer
behind the house .... derrière la maison
beneath the bridge... au-dessous du pont
between the trees... entre les arbres
here.. ici
in front of the cinema.. devant le cinéma
in the country .... à la campagne
in the distance .... au loin
in the field... dans les champs
in the middle of the town .... au centre de la ville
in the mountains.. à la montagne
in the meadow.. dans le pré
in the woods.. dans le bois
nearby .... tout près/près d'ici
near my home .... près de chez moi
near the lift... près de l'ascenseur
next to the bank... à côté de la banque
on the balcony.. sur le balcon/au balcon
on the ground floor/on the first floor .... au rez-de-chaussée/au premier étage
on the horizon .... à l'horizon
on the left/on the right....................................... à gauche/à droite
on the river bank .... au bord de la rivière
on the top floor .... au dernier étage
opposite the station .... en face de la gare
over there.. par là
100 metres away .... à cent mètres d'ici
ten minutes away .... à dix minutes d'ici
there.. là
this/that way.. par ici/par là
to/in the east.. à l'est

to the left of the house.. .... à gauche de la maison
to/in the north... au nord
to the right of the window.................................. à droite de la fenêtre
to/in the south... au sud
to/in the west .... à l'ouest
under the bridge.. sous le pont

Who was there?

an old man... un vieux/un vieil homme
a young woman .... une jeune femme
a little boy who was about seven........................ un petit garçon âgé de sept ans environ
an elderly woman with grey hair........................ une femme assez âgée aux cheveux gris
a tall girl who was wearing a red coat................ une grande fille au manteau rouge
a short fat man with a black beard..................... un petit homme gros à la barbe noire
a girl of about sixteen who was carrying a bag... une fille de seize ans à peu près, qui portait un sac
a middle-aged woman/aged about fifty who was walking her dog .... une femme d'un certain âge/ près de la cinquantaine qui promenait son chien
a man wearing sunglasses driving a blue Renault .... un homme aux lunettes de soleil qui conduisait une Renault bleue
two teenage girls talking to someone who seemed worried .... deux jeunes filles qui parlaient avec quelqu'un qui semblait/avait l'air d'être inquiet

What did he/she look like?

He had a moustache... Il portait une moustache
He had a long black beard................................. Il avait une longue barbe noire
He had black/fair/brown/grey/ginger hair .... Il avait les cheveux noirs/blonds/bruns/gris/roux
He was big/small/thin/fat................................... Il était grand/petit/maigre/gros
He was wearing a blue suit .... Il portait un complet bleu
He was carrying a black umbrella...................... Il portait un parapluie noir
He was frowning .... Il fronçait les sourcils

She was big/small/thin/fat/slim .... Elle était grande/petite/maigre/grosse/mince
She looked happy/uptight/frightened .... Elle avait l'air heureuse/tendue/effrayée
She had blue/green/grey/brown eyes.................. Elle avait les yeux bleus/verts/gris/bruns
She was wearing (sun)glasses .... Elle portait des lunettes (de soleil)
She was wearing jeans and a red T-shirt .... Elle portait un jean et un T-shirt rouge
She was smiling... Elle souriait
She was crying .... Elle pleurait

What did we have to eat and drink?

I drank a cup of coffee....................................... J'ai bu une tasse de café
I had a glass of lemonade.................................. J'ai pris un verre de limonade
I had a chocolate ice cream .... J'ai mangé une glace au chocolat

I bought a ham sandwich....................................J'ai choisi un sandwich au jambon
I bought some cheese, tomatoes, apples and a packet of crisps ....J'ai acheté du fromage, des tomates, des pommes et un paquet de chips
I ordered roast chicken.......................................J'ai commandé le poulet rôti
He chose a toasted cheese and ham sandwich.....Il a choisi un croque-monsieur
She always preferred steak and chips ....Elle préférait toujours un steak-frites
We went to a restaurant because it was my birthday.........................Nous sommes allé(e)s au restaurant parce que c'était mon anniversaire
We decided to have a picnic...............................Nous avons décidé de faire un pique-nique
We ordered two Oranginas®..............................Nous avons commandé deux Oranginas®

Sequences

at first ....d'abord/au début/pour commencer...
secondly..en deuxième lieu/deuxièmement
thirdly ....en troisième lieu/troisièmement
then..puis/alors
after that..ensuite/après cela
after doing that..après avoir fait cela
He had just done that when... ....Il venait de faire cela quand...
a little later...un peu plus tard
after a while ....après un certain temps
a few minutes later..quelques minutes plus tard
later that day/evening ....plus tard dans la journée/soirée
two hours later ....deux heures plus tard
After arriving in Dover... ....Une fois arrivé(e)(s) à Douvres...
on the first part of the journey ....au début/commencement du voyage
on the last part of the journey ....à la fin du voyage
on the first/last day of the holiday ....le premier/dernier jour des vacances..
at half past one..à une heure et demie..
as arranged..comme prévu
during the morning/afternoon/evening ....au cours de la matinée/de l'après-midi/de la soirée
during the night...pendant la nuit
the next day/the next morning ....le lendemainle lendemain matin
tomorrow ....demain
the day after tomorrow.......................................le surlendemain

Conclusions

at the end of the day/outing/show.......................à la fin de la journée/de l'excursion/du spectacle...
at last/finally ....enfin/à la fin/finalement
in spite of everything.... ....Malgré tout......
We arrived home tired but happy ....Nous sommes arrivé(e)s à la maison, fatigué(e)s mais heureux/heureuses
We had had a good time....................................Nous nous étions bien amusé(e)s/On s'était bien amusé

Your own version

Your own version

Your own version

MALVERN LANGUAGE GUIDES

PO Box 76 Malvern WR14 2YP UK

Priceline/Fax: 01684 893756 Enquiries: 01684 577433 Website: www.malvernlangs.demon.co.uk

	French	German	Spanish	Italian	Total no.	Each	£
GCSE Vocabulary Guide						£2.50	
GCSE Speaking Test Guide						£2.50	
Essential Verbs						£2.50	
Grammar Guide						£3.50	
Dictionary						£3.50	
Key Stage 3 Guide						£3.00	
Standard Grade Vocabulary †						£2.50	
Comm. Entrance 13+ Guide						£3.50	
Mon échange scolaire						£2.00	
Mein Austausch						£2.00	
Mi intercambio escolar						£2.00	
Ma visite en France						£2.00	
My visit to Britain						£2.00	
*Sticker Pack A (192 stickers)						*£5.00	
*Mixed Sticker Pack A (192 stickers in four languages – 48 per language)						*£5.00	
Other Stickers (192 stickers)	*Numeracy/Tables	*Literacy	*Achievement				
						*£5.00	
*Plastic library-style book cover (A5 format fits all our books)						*£0.50	
*Box of 100 plastic library-style book covers (A5 format fits all our books)						*£35.00	
*Set of 10 plastic exercise book covers (230mm spine height)						*£5.00	
*Box of 100 plastic exercise book covers (230mm spine height)						*£35.00	
*Handling charge for orders totalling £4.99 or less						*£1.50	
						UK/EU Total	
Delivery charge for customers outside the European Union (EU) – add 30% of UK/EU total							

* price includes VAT   † for Scotland   **TOTAL PAYABLE: £** ________

Name			
Address			
Postcode		**Telephone**	

Terms: Strictly cheque payable to **Malvern Language Guides** with order. We aim to despatch goods within 7 days of receipt of your order. We regret we are unable to accept orders over the phone or payment by credit card. For orders of £5 and over we make no charge for delivery to UK or EU addresses. **Prices valid to 31.7.2000.** International Tel: +44 1684 577433.

Signed .... **Date** ....